Ma belle Ariane,

Tout comme Maude...
continue à déployer tes ailes
ça te va si bien... Ta marraine

Jacintha
xx

LA VIE MOINS COMPLIQUÉE

DE Maude M. Bérubé

LA REINE DES ABEILLES

CATHERINE GIRARD-AUDET

Gouvernement du Québec – Programme de crédit d'impôt
pour l'édition de livres – Gestion Sodec

Nous reconnaissons l'aide financière du gouvernement du Canada par l'entremise
du Fonds du livre du Canada pour nos activités d'édition.

La vie moins compliquée de Maude Bérubé
© Les éditions les Malins inc., Catherine Girard-Audet
info@lesmalins.ca

Directrice littéraire : Ingrid Remazeilles
Éditeur : Marc-André Audet
Illustration et conception de la couverture : Veronic Ly
Photographie de Catherine : Karine Patry
Mise en page : Marjolaine Pageau et Chantal Morisset

Dépôt légal – Bibliothèque et Archives nationales du Québec, 2014
Dépôt légal – Bibliothèque et Archives Canada, 2014

ISBN : 978-2-89657-273-1

Imprimé au Canada

Les éditions les Malins inc.
Montréal (Québec)

LA VIE MOINS COMPLIQUÉE DE Maude M. Bérubé

LA REINE DES ABEILLES

CATHERINE GIRARD-AUDET

Parce que malgré les apparences,
chaque nunuche a un côté sensible...

Chapitre 1 :
Marie-Gossante

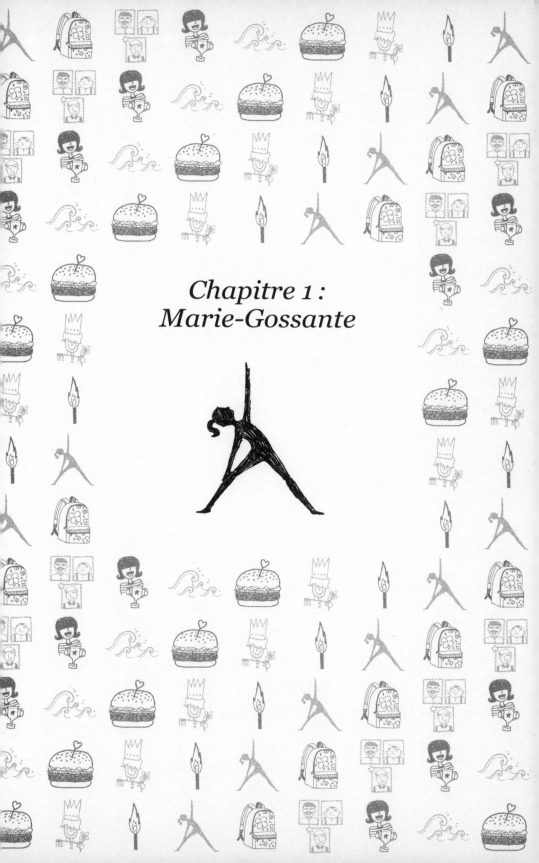

Mardi 26 février, 22 h 10

Cher journal,

Me revoici après quatre ans de pause. La dernière
(et seule) fois où je me suis confiée à toi, c'est quand
j'ai appris que mes parents se séparaient. Comme je
suis fille unique, mon père avait peur que je garde
tout pour moi et m'avait poussée à me confier à une
psychologue. Tu te souviens de ce que j'avais écrit?

Cher journal,

*La madame qui s'habille tout en brun m'a dit de
« mettre mes émotions sur papier ». Ça me gosse
de suivre les conseils d'une femme déguisée en
écureuil, mais mes parents ont l'air d'être du même
avis, alors je me lance : ça me fait de la peine que
papa soit parti de la maison. Je l'aime, mon papa,
et j'aimerais le voir tous les jours. Et maman a
l'air tellement triste. Je ne sais pas quoi faire pour
l'aider. En rentrant de l'école, je lui ai fait un câlin,
et elle s'est mise à pleurer, mais elle m'a promis*

que c'étaient des larmes de joie. J'ai de la misère à le croire.

En plus, je me suis chicanée avec Marianne ce matin. Elle essaie souvent de prendre ma place et de diriger les autres, et ça m'énerve. J'ai convaincu les filles d'arrêter de lui parler, et ce midi, elle est venue me voir en pleurant pour me supplier de revenir dans la gang. Je lui ai dit que je lui donnerai une réponse demain.

Une chance qu'il y a Antonin! La semaine passée, il m'a demandé de sortir avec lui, et hier, il m'a pris la main dans la cour d'école. Je le trouve tellement beau! Un jour, quand je serai chanteuse, je composerai une ballade qui parle de lui et de ses grands yeux noisette.

À bientôt,
Maude xox

Quelques jours plus tard, j'ai appris que papa avait quelqu'un dans sa vie (Marie-Pier alias

Marie-Gossante) et qu'il avait quitté maman pour elle. J'ai immédiatement décidé de laisser tomber la psychologue et de boycotter mon journal intime. C'était ma façon à moi de me rebeller contre mon père. Je ne voulais pas lui donner la satisfaction de faire ce qu'il me recommandait et de lui laisser croire que j'acceptais sa décision.

Même si la blonde de mon père est encore dans le portrait et que je la trouve toujours aussi insupportable, ma rancune envers lui s'est tout de même estompée. C'est pourquoi j'ai décidé de ressortir mon vieux cahier rouge. En plus, j'aimerais vraiment avoir une chronique dans un magazine de mode. J'ai lu que plein de gens dans ce milieu avaient commencé à développer leur plume grâce à leur journal. Je me dis que je ne perds rien à essayer et que ça peut même me faire du bien de me vider le cœur sans me sentir jugée.

Mais comme ma vie est beaucoup plus palpitante qu'il y a quatre ans et que je ne suis plus une

enfant, je prends la peine de me représenter,
question que tu saches à qui tu as affaire!

Je m'appelle Maude Ménard-Bérubé, j'ai treize ans
et demi et je rêve de devenir mannequin
professionnelle. Je raffole des magazines, des
cupcakes et de José Martinez, mon chum!

D'ailleurs, j'étais vraiment cruche de croire que j'aimais
passionnément Antonin Breton! J'étais aussi très naïve
de penser que j'allais devenir chanteuse. Je rêvais
d'avoir une voix aussi puissante que Miley Cyrus, mais
la vérité, c'est que je fausse beaucoup. Ça m'énerve,
car je sais que ça peut aider d'avoir plein de talents
pour percer dans le milieu artistique.

Pour en revenir à José, ce que je ressens pour lui
aujourd'hui me prouve à quel point je n'avais jamais été
amoureuse auparavant. Avant de m'endormir, je pense
presque toujours à lui. Je l'imagine qui vient vers mon
casier et qui m'embrasse devant toutes les autres
filles. Je sais à quel point mon chum pogne. Je me sens
vraiment fière de montrer aux autres qu'il est à moi.

Bon, il faut que j'aille au lit, car demain, j'ai une présentation orale en français avec Jeanne. La prof voulait qu'on discute de nos passions, alors j'ai proposé qu'on parle de la mode. Je vais apporter plein de magazines, et aussi les clichés que ma mère a fait prendre de moi cet hiver pour ma nouvelle agence de *casting*. Je suis certaine que ça va nous donner des points supplémentaires, car la prof va réaliser que je connais super bien le milieu.

Maude xox

Jeudi 28 février, 18 h 44

Cher journal,

Ce midi, je suis allée me cacher dans le coin du local de technologie avec José. On a passé trente minutes à s'embrasser, et quand la cloche a sonné pour annoncer le début des cours, j'ai senti un poids dans ma poitrine. C'est tellement poche qu'on ne soit pas dans la même

classe! J'aurais passé toute la journée collée contre lui.
Je l'aime tellement, c'est incroyable.

Quand je suis arrivée dans le cours de maths,
Sophie m'a dévisagée.

Sophie: T'as un drôle d'air.
Moi: C'est l'amour. Je sais que tu n'as pas de chum
et que tu ne peux pas comprendre, mais c'est
vraiment intense.
Sophie (en baissant les yeux): J'aimerais tellement
ça que ça m'arrive un jour.
Moi: La relâche s'en vient, et j'ai prévu de faire
plein d'activités avec José. Si tu veux, je peux
m'arranger pour qu'il invite ses amis de la poly. Il y
a en sûrement un là-dedans qui aime les rousses.

Sophie a sorti son miroir de poche de sa trousse à
crayons et s'est observée pendant quelques secondes.

Sophie: Penses-tu que je devrais me faire teindre
en brune?
Moi: Fais surtout pas ça! Tu as la peau bien trop

blanche pour avoir les cheveux foncés.

Sophie : Hum. En blonde, alors?

Moi : Euh. Non. C'est moi, la blonde de la gang.

Elle m'a regardée en soupirant.

Après l'école, Jeanne et Katherine sont venues souper chez moi. Ma mère nous avait laissé de l'argent pour commander une pizza.

Jeanne : Ta mère ne va pas souper ici?

Moi : Elle travaille super tard ces temps-ci.

Katherine : Pauvre toi. Ça doit être poche de passer tes soirées toute seule.

Moi (en haussant les épaules) : Ce n'est pas si pire. Je peux faire ce que je veux.

Jeanne : Si jamais tu t'ennuies trop, tu peux aller chez ton père, non?

Moi : Non. Ma mère m'en voudrait trop. Je dois respecter la garde partagée. Quand c'est ma semaine ici, il n'est pas question que je parte.

La vérité, c'est que je pense que ma mère

comprendrait, mais comme mon père travaille encore plus fort qu'elle, je sais que je serais pognée pour passer mes soirées avec Marie-Gossante.

Les filles ont beau me répéter qu'elle est « tellement cool et gentille et que je devrais emprunter son linge », il n'est pas question que je devienne *best* avec une fille qui a à peine vingt ans de plus que moi et qui profite visiblement de mon père pour son argent. *No way.*

Parlant de ça, j'ai appelé mon père hier pour lui rappeler que j'allais être chez lui pendant la semaine de relâche et que j'aimerais qu'il s'arrange pour qu'on puisse passer quelques soirées ensemble. Il m'a promis qu'on irait au restaurant juste tous les deux et qu'il prendrait même une journée de congé pour qu'on aille au cinéma comme quand j'étais petite.

Les vacances s'annoncent trop cool! Plus qu'une journée et c'est la relâche! YÉ!!!

Maude

Samedi 2 mars

Jeanne (en ligne): Salut! C'est tellement cool de se lever tard et de se dire qu'on peut faire ça toute la semaine! Je capote!

14 h 43

Maude (en ligne): Mets-en! As-tu hâte à ce soir?

14 h 43

Jeanne (en ligne): Ouais. Ça va être cool d'aller dans un party.

14 h 44

Maude (en ligne): Et ça va être encore plus cool de te présenter l'ami super *cute* de José qui est parfait pour toi!

14 h 45

Jeanne (en ligne): Hum. Ça me stresse un peu, cette affaire-là. J'ai envie de me faire du *fun* avec mes amies, pas de passer la soirée à essayer d'impressionner un gars que je ne connais pas. C'est comme trop de pression.

14 h 45

Maude (en ligne): Mais non! Karl est super relax, vraiment cool et pas pantoute pogné.

Jeanne (en ligne): Mouais... Mais pourquoi tu n'essaies pas plutôt de le présenter à Sophie? Elle meurt d'envie d'avoir un chum!

14 h 46

Maude (en ligne): Parce que je sais que ça ne cliquera pas avec elle.

14 h 47

Jeanne (en ligne): Ben là! Ne dis pas ça! Ça se peut qu'il la trouve de son goût.

14 h 48

Maude (en ligne): Non. Tu es plus *cute* qu'elle. Ce n'est pas un secret.

14 h 49

Jeanne (en ligne): Je ne suis pas d'accord avec ton opinion.

14 h 50

Maude (en ligne): Je fais ça pour la protéger, Jeanne. Je ne veux pas lui donner de faux espoirs alors que je sais très bien qu'elle n'est pas le style de Karl et qu'il va la rejeter.

14 h 51

Jeanne (en ligne): Quoi qu'il en soit, attendons de voir si Karl est *mon* style avant de nous imaginer mariés!

Maude (en ligne): Je vais essayer! En passant, Lydia vient se préparer chez nous avant d'aller chez José. Tu viens nous rejoindre?

14 h 53

Jeanne (en ligne): OK. Je serai chez vous vers 18 h. Tu es encore chez ta mère?

14 h 54

Maude (en ligne): Ouais, jusqu'à demain. Un petit conseil pour le party: ne mets pas ton jean de *skater*! Ton jean serré t'avantage mille fois plus. Et pas de jaune: le rouge te va mieux!

14 h 55

Jeanne (en ligne): Oui, maman!

14 h 56

Maude (en ligne): Si tu veux, je te prêterai mon chandail corail. Comme ça, c'est sûr que tu ne passeras pas inaperçue. À plus! xox

Dimanche 3 mars, 11 h 44

Cher journal,

Je me suis levée tard ce matin, car j'ai eu de la misère à m'endormir hier soir. Je me suis disputée avec José en fin de soirée, et j'y ai pensé pendant une partie de la nuit.

Son party avait pourtant bien commencé. Lydia discutait avec un gars de la poly, et Jeanne et Karl dansaient ensemble. Mes talents d'entremetteuse semblaient d'ailleurs avoir porté leurs fruits, et j'étais *full* contente de penser que ma *best* sortirait avec un ami de José. Je nous imaginais déjà passer des soirées ensemble tous les quatre!

Katherine est venue interrompre ma rêverie en s'installant à côté de moi.

Kath: Pourquoi tu regardes Jeanne et Karl comme ça?
Moi: Parce que je viens de créer le couple parfait, et je suis fière de moi.

Kath : C'est vrai que ce serait cool qu'ils sortent ensemble ! On pourrait faire des trucs tous les six.

J'ai grimacé.

Kath : Quoi ? Ça ne te tente pas ?
Moi : Ce n'est pas ça... C'est juste que je ne suis pas certaine que José triperait de passer du temps avec Éloi. Il le trouve un peu *geek*.
Kath (en haussant les épaules) : Mon chum n'est pas *geek*. Il est impliqué, gentil et attentionné.
Moi : Et il est où, ce soir, M. Attentionné ?
Kath : Il avait un tournoi d'improvisation.
Moi : *GEEK* !

Je me suis mordu la joue pour ne pas ajouter que je ne comprenais pas ce qu'elle faisait avec lui, et qu'elle irait bien mieux avec James, un gars de secondaire 3 qui la regarde toujours comme si elle était une déesse.

José est venu s'asseoir entre nous deux et il a passé son bras autour de nos épaules. Katherine s'est lovée contre lui et a poussé un soupir. Quant à moi, je me suis raidie et j'ai immédiatement senti un pincement au cœur. Je DÉTESTE quand mon chum colle d'autres filles, et ça m'énerve encore plus quand celles-ci répondent à ses gestes de tendresse.

Je me suis donc levée d'un bond et j'ai saisi le bras de José.

Moi : Viens ! On va danser.
José : J'haïs ça, danser.
Moi : Moi, j'aime ça.
José : Mais j'ai envie de relaxer. Va danser avec quelqu'un d'autre. Je vais rester ici avec Kathou.

Grrr. Je déteste aussi quand il l'appelle Kathou. C'est trop intime comme surnom. J'ai soudainement prié les dieux pour qu'Éloi vienne nous casser les oreilles avec ses histoires d'improvisation et entraîne sa blonde loin de l'épaule de mon chum.

Jeanne (en arrivant derrière nous) : OK. J'ai besoin d'une petite pause.

José a tapoté le sofa à sa droite pour lui faire signe de s'installer auprès de lui. Je me suis empressée de me laisser choir sur le sofa avant qu'elle le fasse. Une amie qui le colle, c'est déjà trop.

Moi (en levant les yeux vers Jeanne, qui se rongeait les ongles): Une pause de quoi? Karl est parfait pour toi!
Jeanne: Il est gentil, mais ce n'est pas *full* naturel.
Moi: Il faut continuer à lui parler si tu veux que ça devienne naturel! Une relation comme la mienne et celle de José ne se construit pas en une heure!

J'ai validé mon point de vue en tirant José vers moi et en plaquant un baiser sur sa bouche, forçant ainsi Katherine à se détacher de lui.

José (en se levant): Viens, Jeanne. On va retourner voir Karl ensemble. Ma présence va vous permettre d'être moins gênés.

Ils se sont éloignés et Katherine s'est rapprochée de moi sur le sofa.

Kath : C'est vrai que tu es chanceuse d'avoir une connexion aussi intense avec José. J'aimerais ça que ce soit aussi fusionnel avec Éloi, mais on a des champs d'intérêt vraiment différents, et on ne se tient même pas avec le même monde.

José est revenu vers nous en courant.

Moi : Qu'est-ce que tu fais là ? Je pensais que tu allais aider Jeanne !
José : Ouais, mais j'ai eu une meilleure idée ! On va jouer à la bouteille !
Katherine (en frappant des mains) : Bonne idée !
Moi (en le dévisageant) : Tu me niaises ?
José : Euh, non ! Mais ça va aider Jeanne à se déniaiser, par exemple !
Moi : Ben là ! Je n'ai pas envie que tu *frenches* d'autres filles devant moi !
José : C'est un jeu, Maude ! Et je ne vais *frencher* personne ! C'est juste un bec sur la bouche. Relaxe !

Je lui ai fait de gros yeux pour lui faire comprendre que je n'étais pas du tout à l'aise avec ça, mais

Katherine l'a tiré par la manche pour qu'il l'aide à rassembler les autres. Elle m'énerve quand elle ne se mêle pas de ses affaires.

Les gens se sont assis en cercle et je me suis installée entre Lydia et Sophie.

Lydia (en frappant des mains) : Enfin un peu d'action!
Sophie : C'est trop cool! On va embrasser des gars qu'on trouve *cute*!

J'ai soupiré. Elles m'exaspèrent tellement, des fois. Sophie a fait tourner la bouteille et elle a embrassé Alex.

Elle s'est ensuite penchée vers moi pour me souffler quelque chose à l'oreille.

Sophie : Je pense que je suis amoureuse.
Moi : Relaxe. C'est un jeu.

Au second tour, Lydia a embrassé François, un ami

de Karl. On a continué à jouer comme ça pendant plusieurs minutes, jusqu'à ce que Karl fasse tourner la bouteille et que celle-ci pointe en direction de Jeanne. Leur baiser s'est éternisé, et j'ai aussitôt fait un clin d'œil à José.

Moi : Bon, est-ce qu'on joue à autre chose ?
José : Non ! Je n'ai encore embrassé personne.
Moi : Euh. Je suis là, moi ! Je peux régler ton problème.
José (en s'emparant de la bouteille) : Allez ! Un dernier tour !

Le goulot a alors pointé en direction de Katherine. José a écarquillé les yeux et s'est approché d'elle.

José (en s'adressant à Katherine) : Je veux juste te prévenir que je risque de révolutionner ta vision des baisers, et qu'Éloi va te sembler aussi sexy qu'un caniche après ça !

Tout le monde s'est mis à rire et à crier « Ouhhhh ! » J'ai détourné le regard pour éviter de voir l'une de mes meilleures amies embrasser mon chum. Quand ils ont eu terminé, j'ai remarqué que Katherine était rouge tomate.

Karl : Pourquoi t'es rouge de même ?
José : C'est l'effet José. Ça marche à tout coup !

J'ai senti une boule dans mon ventre. J'étais hors de moi et extrêmement jalouse. Comment pouvait-il me faire une chose pareille ? J'en voulais à Katherine. À José. Je n'avais qu'une seule envie : me venger.

Moi (en prenant la bouteille) : C'est à mon tour, maintenant !
José (en me dévisageant) : Euh. J'avais dit que c'était le dernier tour.
Moi (sans même le regarder) : Ouais, mais j'ai le droit de jouer, moi aussi.

J'ai fait tourner la bouteille, et elle a pointé en direction d'Alex. Pas mal. Non seulement il est super *cute*, mais c'est l'un des meilleurs amis de José, alors je pouvais lui rendre la monnaie de sa pièce.

Je me suis avancée vers lui en le regardant droit dans les yeux. Alex m'a alors envoyé un sourire craquant. Je savais que José nous regardait et bouillait à l'intérieur.

J'ai embrassé Alex pendant plusieurs secondes. Tout le monde a applaudi. Quand je me suis enfin détachée de lui, José avait disparu. Je l'ai cherché partout et l'ai finalement retrouvé dans sa chambre.

Moi : Qu'est-ce que tu fais là ? Y a plein de monde dans le salon.
José : Ça ne me tente pas de voir quelqu'un. Surtout pas toi.
Moi : Euh. Est-ce que je peux savoir pourquoi tu es fâché contre moi ?
José : Parce que tu as fait un *spectacle* devant tout le monde et que tu m'as humilié. Penses-tu vraiment que ça se fait d'embrasser mon ami devant quinze personnes ?
Moi : Et penses-tu vraiment que ça se fait de coller toutes les filles et d'embrasser Katherine

devant tout le monde? Tu n'as pas le droit de m'en
vouloir pour quelque chose que tu as fait toi aussi!
José: Moi, j'essayais juste de participer, et j'ai
donné un petit bec sec à Kath. Tu sais très bien
que ce n'est pas la même chose.
Moi (en retenant mes larmes): Mais José, ça allait
tellement bien avant cette histoire de bouteille!
Est-ce qu'on peut juste se réconcilier et retourner
au party, s'il te plaît?
José: Non.

Je me sentais vraiment détruite. Un côté de moi
savait qu'il avait tort de réagir comme ça, mais je
ne supporte pas qu'il soit en colère contre moi. Ça
me rend folle et ça me pousse à être faible et à
dépasser mes limites, mais pas dans le bon sens.

Moi (en le suppliant): Allez!! S'il te plaît! Pardonne-moi!

Jeanne a alors frappé doucement à la porte.

Jeanne: Maude, mon père s'en vient. Veux-tu
toujours qu'on te dépose chez toi?

Moi : Ouais, j'ai promis à ma mère que je ne
rentrerais pas tard. J'arrive dans deux minutes.

J'ai fait une dernière tentative pour me
rapprocher de José, mais il m'a repoussée
sèchement de la main. J'étais encore plus triste.
Non seulement j'avais pilé sur mon orgueil et
je m'étais rabaissée à le supplier, mais je me
sentais complètement rejetée. Je suis partie du
party en retenant mes larmes. Jeanne s'est
rendu compte que je ne filais pas, mais je n'avais
pas envie d'en parler.

Je suis rentrée chez moi et me suis effondrée
dans mon lit. J'attends impatiemment que José
m'appelle pour régler tout ça, mais le connaissant,
il va sûrement me laisser poireauter quelques jours.
L'attente me ronge. Je ne veux pas paraître trop
needle en le rappelant tout de suite.

Et comble de malheur, je dois faire mes valises
pour aller chez mon père, mais comme il devait
<< gérer une crise importante au bureau >>, c'est

Marie-Gossante qui viendra me chercher chez ma mère. S'il travaille un dimanche, ça regarde mal pour le reste de la semaine...

Maude

À : Queenbee@mail.com
De : Katherinepoupoune@mail.com
Date : Mardi 5 mars, 20 h 03
Objet : Ça va ?!

Salut, ma chérie !

Je n'ai pas eu de tes nouvelles depuis le party, et comme tu es partie très vite, je n'ai pas eu la chance de m'expliquer avec toi.

Jeanne m'a dit que c'était plutôt tendu entre José et toi en fin de soirée. Je veux m'assurer que ce n'est pas de ma faute. Je sais que ça n'a pas dû te plaire de me voir embrasser ton chum, mais je t'assure que ce n'était qu'un jeu, alors il ne faut surtout pas que tu t'imagines des choses ! C'est un peu comme quand tu as embrassé Alex ; ça ne voulait rien dire.

J'espère que tu passes tout de même un beau début de relâche. Moi, j'ai passé la journée avec Éloi. Comme il faisait doux, on est allés se promener sur l'avenue du Mont-Royal, et il m'a accompagnée dans des friperies vraiment cool. Il faut absolument qu'on y retourne ensemble !

Donne-moi des nouvelles cette semaine. Ce serait cool de faire quelque chose ! ☺

Luv

Katherine xox

À : Katherinepoupoune@mail.com
De : Queenbee@mail.com
Date : Mercredi 6 mars, 23 h 03
Objet : Re : Ça va ? !

Salut, Kath !

Ouais, la soirée de samedi ne s'est pas très bien terminée entre José et moi, mais après l'avoir convaincu de me voir hier soir, les choses se sont arrangées entre nous. J'avoue que je n'ai pas tripé de vous voir ensemble. Je ne crois pas qu'il ait apprécié que j'embrasse Alex, mais on a décidé de mettre ça derrière nous, et on est vraiment *in love* depuis.

Mon père m'a acheté plein de vêtements neufs aujourd'hui. Veux-tu venir chez moi jeudi pour que je te montre ça ? On pourrait même faire des échanges de vêtements, si tu veux. (Mais assure-toi de bien laver tes vieilles guenilles de la friperie avant de venir ! Tu sais que je suis dédaigneuse avec les trucs usagés.)

Maude

Jeudi 7 mars, 19 h 44

Je capote. Mon père m'avait promis qu'on souperait ensemble ce soir, mais il m'a encore fait faux-bond. La bonne nouvelle, c'est que sa blonde a un cours de Pilates et qu'elle n'est pas là pour me casser les oreilles avec ses histoires de régime sans sucre, sans gluten et sans bonheur. Sinon, j'aurais été pognée pour avaler ce qu'elle a cuisiné. Toute la maison empeste la soupe au chou depuis ce matin. Elle m'énerve.

Et mon père aussi m'énerve. Il m'avait pourtant assuré qu'on passerait du temps de qualité ensemble cette semaine, mais son cabinet doit défendre une cause supposément bien difficile, alors ça occupe tout son temps libre.

Hier, il est rentré à 22 h. Il est venu frapper à la porte de ma chambre, mais j'ai monté le son de ma musique pour lui faire comprendre que ça ne me tentait pas de lui parler. Il a évidemment ignoré ma réaction et a entrouvert la porte.

Il a alors tendu deux grands sacs de chez H & M,
l'une de mes boutiques préférées.

Mon père (en brandissant la tête par l'ouverture) :
Je sais que je rentre tard, mais j'ai quelque chose
pour me faire pardonner !
Moi (curieuse, malgré moi) : C'est quoi ?

Il est entré dans ma chambre et s'est assis sur
mon lit.

Mon père : En gros, ce que tu vois là représente
pas mal la totalité de ce que tu voulais à Noël !

Je me suis levée et j'ai jeté un coup d'œil dans les
sacs. Il n'avait pas exagéré ! Presque tous les articles
que je lui avais montrés sur Internet se trouvaient
à l'intérieur. Ma joie l'a finalement emporté sur ma
colère et j'ai fini par lui sauter au cou.

Moi : Merci ! Merci ! Merci ! Moi qui ne savais plus
quoi me mettre, j'ai maintenant une solution à mon
problème !

Mon père (en fronçant les sourcils) : Ta garde-robe
est pleine! Ne viens pas me faire croire que tu n'as
rien à te mettre sur le dos.
Moi (en sortant les vêtements des sacs) : Ouais, mais
je suis tannée de porter toujours la même chose.
Merci, papa. C'est gentil d'avoir acheté tout ça.

Je me suis mordu la lèvre avant de poursuivre.

Moi : Mais tu sais ce qui me ferait encore plus plaisir?
Mon père : Hum... Je crois savoir! Attends-moi
deux secondes.

Il est sorti de ma chambre et je l'ai entendu parler
avec Marie-Pier. Je me croisais les doigts pour que
ce ne soit pas elle, la surprise.

Il est finalement revenu avec une grosse boîte
identifiée << Uggs >>.

Moi : Les bottes que je voulais?
Mon père : Oui, ma princesse! C'est Marie-Pier qui
est allée les chercher! Tu la remercieras, elle aussi.

Grrr.

J'ai enfilé mes bottes et je me suis admirée dans la glace. Pas mal. J'ai alors remarqué que mon père pianotait sur son BlackBerry.

Moi (en soupirant) : Tu travailles encore ?
Mon père : Ouais... C'est vraiment un dossier exigeant. Je voulais d'ailleurs te dire que je ne suis pas certain que je pourrai prendre congé cette semaine.
Moi (en poussant un autre soupir) : Ah non ! C'est ben poche ! Je t'ai à peine vu !
Mon père : Je sais, ma puce, mais je ne contrôle pas les criminels, et tu sais que mon travail, c'est de défendre les bonnes personnes comme toi et moi !
Moi : Ton travail, c'est aussi de prendre soin de moi.
Mon père (en désignant ses achats) : Je trouve que je fais une *job* pas si pire.
Moi (en observant un nouveau chandail) : Mouais... Mais ce que j'allais te dire il y a deux minutes, c'est que ce qui me ferait vraiment plaisir, c'est qu'on

aille magasiner ensemble.

Mon père : Moi aussi, j'aimerais ça, ma puce, mais je suis tellement occupé que j'y vais généralement entre deux réunions, et des fois, je suis même forcé d'envoyer ma secrétaire ou ma blonde à ma place !

Je me suis assise sur mon lit avec un air outré. Il n'avait pas l'air de réaliser que son aveu ne faisait qu'empirer les choses.

Mon père (en s'assoyant près de moi et en passant son bras autour de mon épaule) : Je te promets que dès que le procès sera terminé, on pourra passer plus de temps ensemble.

Moi : Tu dis tout le temps ça, papa.

Mon père : Je sais, mais là, c'est vrai. Et dis-toi que tu n'es pas toute seule ! Il y a Marie-Pier qui peut t'accompagner.

Si seulement il savait que je préférerais passer mes soirées avec le club des *nerds* d'informatique ou même à faire de l'improvisation avec Éloi le *geek* plutôt que d'endurer sa blonde !

Moi (froidement) : Bon, merci pour tout, papa.

Mon père : Ça me fait plaisir. Demain, je vais m'arranger pour partir très tôt pour le bureau. Comme ça, je pourrai rentrer de bonne heure et souper en tête-à-tête avec toi ! Qu'est-ce que t'en dis ?

Moi (en souriant légèrement) : Ça me rendrait vraiment heureuse.

Mon père : Alors c'est réglé ! Bonne nuit, ma puce.

Et comme de fait, il m'a téléphoné à 18 h 30 pour me dire qu'il y avait une urgence et qu'il ne serait pas ici avant 21 h, mais que je pouvais commander n'importe quoi et mettre ça sur sa carte de crédit.

Je ne sais pas pourquoi il ne comprend pas que c'est de sa présence dont j'ai besoin. D'ailleurs, je m'en veux d'avoir cédé quand il m'a offert tous ces vêtements. J'aurais dû réagir en les boycottant, comme j'ai fait il y a quatre ans. J'ai au moins réussi à me venger en me faisant livrer le meilleur (et le plus coûteux) sushi en ville. Ça lui apprendra à me poser un lapin !

Je vais appeler José. J'ai espoir qu'il saura me réconforter. Depuis qu'on s'est réconciliés mardi, les choses vont mieux que jamais entre nous. Je crois que Katherine a enfin compris que quand il était question de mon chum, c'était PAS TOUCHE! Qu'elle se colle à son Éloi si elle l'aime tellement!

Maude

Samedi 9 mars

13 h 42

Jeanne (en ligne): Salut!

13 h 44

Maude (en ligne): Hey! J'allais justement t'appeler! José m'a dit que Karl lui avait dit qu'il t'avait appelée jeudi et que vous alliez au cinéma hier soir? Tu ne m'avais pas dit ça, petite cachottière!

13 h 45

Jeanne (en ligne): Je sais... Mais je ne voulais pas que tu me mettes de pression! Je crois que ça m'aurait fait capoter encore plus!

13 h 45

Maude (en ligne): Mouais... C'est un peu bidon comme excuse, mais je suis prête à te pardonner si tu me racontes TOUT!

Jeanne (en ligne): Il m'a fait choisir le film, ce que j'ai trouvé super cool de sa part. Le problème, c'est que je ne voulais pas lui imposer un truc de filles parce que j'avais bien trop peur de son jugement. Je lui ai donc fait croire que je ne savais pas trop ce qui jouait en ce moment. Il m'a dit que le dernier film d'action avait l'air ben bon. J'ai dit que ça me tentait... mais tu sais à quel point je DÉTESTE les films d'action!

13 h 48

Maude (en ligne): Donc tu as bâillé pendant deux heures?

13 h 49

Jeanne (en ligne): Ouais. Je n'arrivais pas à me concentrer. En plus, j'étais *full* nerveuse parce qu'il était juste à côté de moi. À un moment donné, son coude a touché le mien et j'ai senti une décharge électrique dans tout mon corps! Je me sentais tellement nouille!

13 h 50

Maude (en ligne): C'est parce que tu n'as pas d'expérience avec les gars.

13 h 50

Jeanne (en ligne): Ça doit être ça... en tout cas, vers la fin du film, il a approché sa main de la mienne, et il l'a finalement serrée. Je sentais que ma paume devenait de plus en plus moite et j'avais vraiment honte.

13 h 51

Maude (en ligne): Je te comprends! Il ne faut pas que le gars pense que tu as des problèmes de glandes sudoripares!

13 h 51

Jeanne (en ligne): ?!

13 h 52

Maude (en ligne): C'est la seule chose que j'ai retenue du dernier cours de bio.

13 h 53

Jeanne (en ligne): Ha, ha! Bref, on est sortis du cinéma en se tenant la main. On a marché jusqu'au métro, et il m'a finalement embrassée.

13 h 54

Maude (en ligne): Cool! Je savais que je pouvais compter sur un ami de José pour te déniaiser! Il était temps que tu embrasses un gars!

13 h 55

Jeanne (en ligne): Peut-être... mais je t'avoue que je n'ai pas senti de papillons ni de feux d'artifice. Pour dire vrai, j'étais plutôt mal à l'aise. Je n'arrêtais pas de penser à la technique. Genre, je ne voulais pas qu'il pense que j'embrasse mal!

Maude (en ligne): Ben là! Karl a plus d'expérience que toi. C'est sûr qu'il s'est rendu compte que c'était ton premier baiser.

13 h 57

Jeanne (en ligne): Merci de me rassurer, Maude. Ça me fait vraiment du bien. Tu vois? C'est pour ça que je ne t'en ai pas parlé avant.

13 h 57

Maude (en ligne): Je ne dis pas ça pour te décourager. Je dis juste la vérité! Mais ce n'est pas grave. Il a dû trouver ça *cute* que tu sois maladroite.

13 h 58

Jeanne (en ligne): Je ne sais pas si *cute* est le bon mot. Ça ne l'a pas empêché de me rappeler aujourd'hui.

13 h 58

Maude (en ligne): *YES!* Qu'est-ce qu'il a dit?

13 h 59

Jeanne (en ligne): Je ne sais pas trop. Je pense qu'il voulait juste jaser. J'étais super mal à l'aise. J'essayais de combler les silences, mais j'avais l'impression de dire des niaiseries. C'est bizarre qu'il m'appelle sans raison, non?

Maude (en ligne): Ben là! Il appelle sa blonde; c'est tout à fait normal!

Jeanne (en ligne): Pardon? Sa... blonde? Tu penses qu'il pense que je suis sa blonde?

Maude (en ligne): Ben oui! Il t'invite au cinéma, il t'embrasse et il t'appelle le lendemain! Réveille, Jeanne! Tu sors avec lui!

Jeanne (en ligne): Euh, je n'avais pas réalisé que ça impliquait une relation! Ça me fait un peu paniquer... Je ne pense pas que je veux de chum. En tout cas, pas pour l'instant.

Maude (en ligne): Mais oui, tu en veux un! C'est cool, avoir un chum! Tu peux te coller contre lui et faire des sorties avec José et moi!

Jeanne (en ligne): Mais je ne veux pas sortir avec lui simplement pour que ce soit plus le *fun* pour vous! Si tu veux de la compagnie, tu peux t'arranger avec Katherine et Éloi.

Maude (en ligne): Ça ne serait pas aussi cool avec eux. Éloi est trop *nerd*, et Kath m'énerve, des fois.

14 h 05

Jeanne (en ligne): Kath est super gentille, Maude. Et comme elle très amoureuse d'Éloi, elle est bien mieux placée pour comprendre le *fun* d'avoir un chum! Et pour être bien honnête, je ne sais même pas si Karl m'intéresse tant que ça.

14 h 06

Maude (en ligne): Bon, bon, ne panique pas. Même si tu t'obstines, je pense que ma présence et celle de José t'aideraient à être moins pognée. Alors quand il va te rappeler, propose-lui de passer une soirée chez moi. Ma mère assiste à une conférence jeudi, alors on pourra être tranquilles. Tu pourras déterminer si tu l'aimes ou non.

14 h 06

Jeanne (en ligne): Ouais, OK. C'est vrai que c'est moins stressant si je sais que José et toi êtes là pour entretenir la conversation.

Maude (en ligne): Cool! Mais d'ici là, n'abandonne pas! Si jamais tu lui parles et que tu capotes parce que tu ne sais plus quoi dire, tu n'as qu'à lui expliquer pourquoi je suis une amie aussi fantastique. Ça devrait vous occuper pendant quelques heures!;)

14 h 08

Jeanne (en ligne): Merci de la suggestion!;) Bon, je te laisse. Il faut que je sorte mon manuel de maths qui croupit dans mon sac à dos depuis plus d'une semaine! N'oublie pas qu'on a un examen, mardi!

14 h 08

Maude (en ligne): Je n'ai pas oublié, mais j'ai une audition lundi matin, et c'est pas mal plus important que le test d'algèbre!

14 h 09

Jeanne (en ligne): Une audition de quoi?

14 h 10

Maude (en ligne): C'est pour une boutique de jeans. L'agence de *casting* m'a appelée pour me dire de m'habiller «hip». Comme si j'avais besoin d'eux pour être à la mode!

14 h 10

Jeanne (en ligne): Es-tu nerveuse?

Maude (en ligne): Du tout. Pourquoi je serais nerveuse? Cette pub est faite pour moi, et je suis sûre que les clients seront du même avis.

14 h 11

Jeanne (en ligne): Bon, eh bien, bonne chance pour ton audition!

14 h 12

Maude (en ligne): Merci! On se voit lundi midi! xox

Dimanche 10 mars, 20 h 33

Cher journal,

Je suis revenue chez ma mère aujourd'hui, et je
me sens hyper stressée à propos de l'audition de
demain matin. J'ai peur qu'ils ne me trouvent pas
assez belle, pas assez grande ou pas assez vieille.
C'est tellement difficile des fois de me présenter
devant un comité qui me dévisage, qui me fait
faire trois pas et qui me juge de la tête aux pieds.
J'essaie de garder mon sang-froid, mais ce n'est
pas toujours facile.

Même si je m'efforce d'avoir l'air sûre de moi, je
pense que ma mère a senti ma nervosité. Elle m'a
d'ailleurs suggéré de faire mon petit rituel de pré-
audition qui consiste à prendre un bain moussant,
à relire la liste de mes forces qu'elle m'a obligée
à rédiger il y a deux ans après avoir lu un livre
sur la confiance en soi et à écouter de la musique
relaxante.

Je vais aussi étaler un masque de boue sur mon visage. Pas question d'avoir un seul point noir pour une audition aussi importante !

Maude

À : Queenbee@mail.com
De : MarianneVancouver@mail.com
Date : Mercredi 13 mars, 16 h 33
Objet : Je veux des nouvelles !

Salut, pitoune !

Comment vas-tu ? Tu files toujours le parfait bonheur avec José ? Et quoi de neuf avec les filles ? Est-ce que Katherine sort encore avec son *nerd* ? Lydia, Sophie et Jeanne sont-elles toujours célibataires ? (On va les surnommer les « vieilles filles » si ça continue ! Lol !)

De mon côté, Vancouver est toujours aussi tripant, et je ne sais pas pourquoi, mais j'ai l'impression que les gars sont plus matures ici. D'ailleurs, je ne sais pas si je te l'avais dit, mais je ne sors plus avec Matt depuis le mois dernier. Il était vraiment jaloux et possessif et ça me gossait. La bonne nouvelle, c'est que j'ai un nouveau chum depuis deux semaines ! *Yes, babe* ! Marianne est en amour ! C'est l'ami du chum de ma BFF ici, et il s'appelle Josh.

Comme il est plus vieux (il vient d'avoir quinze ans), mes parents capotent un peu (genre je n'ai pas le droit de le voir après 21 h), mais ils n'ont aucune raison de s'en faire, parce que Josh est vraiment un gentleman. Il me traite comme une princesse ! C'est plate que j'habite si loin... j'aimerais ça te le présenter !

Je pense à ça, je pourrais au moins te montrer sa photo sur Skype ! Ça me permettrait aussi d'avoir de tes nouvelles et d'apprendre tout ce qui se passe à Montréal ! Je serais libre dimanche vers 15 h (midi, heure du Québec). Est-ce que ça marcherait pour toi ?

Je m'ennuie de toi, ma pitoune, et j'ai hâte de te voir, même si c'est derrière un écran !

Hugs et *kisses*

Marianne

Vendredi 15 mars, 16 h 03

Cher journal,

J'ai passé une semaine très ordinaire.
Premièrement, j'ai appris que je n'avais pas
décroché la pub de jeans. J'avais pourtant
enfilé mon top le plus branché et ma mère
m'avait maquillée de façon à me faire passer
pour une fille de seize ans, mais le dirigeant
de la campagne a décrété que j'avais l'air
trop jeune et que je n'avais pas un look assez
<< accessible >>. Euh? Allo? Ce n'est pas ça que
les jeunes veulent, justement?

J'ai beau essayer de ne pas me sentir visée, c'est
sûr que ça pique mon ego. Ma mère m'a dit qu'elle
ne comprenait pas leur choix, et que j'étais de loin
la meilleure candidate. En tout cas, je souhaite que
leurs jeans pourris ne se vendent pas!

J'ai aussi reçu un courriel irritant de Marianne,
une de mes meilleures amies au primaire qui a

déménagé à Vancouver avec ses parents et son frère, il y a deux ans. Comme je ne me sens pas top cette semaine, ce n'était pas le meilleur moment pour apprendre à quel point sa vie est fantastique... La vérité, c'est que je me suis toujours sentie en compétition avec elle. Elle est vraiment belle, extravertie et sûre d'elle, et quand nous étions au primaire, ça arrivait souvent qu'on se chicane pour être chef de la gang. Même si ça m'a fait de la peine quand elle a quitté le Québec, une partie de moi était contente de se retrouver seule au sommet.

Heureusement que José est là pour me remonter le moral. Hier soir, Jeanne, Karl et lui sont venus regarder un film chez moi et on s'est collés toute la soirée. Je n'arrêtais pas d'envoyer des regards à Jeanne pour qu'elle se dépogne et qu'elle nous imite, mais je pense que ce n'est pas dans son ADN. Le pauvre Karl avait l'air tellement perdu! Il ne savait pas s'il devait l'embrasser ou non! Il a d'ailleurs avoué à José qu'il l'aimait bien, mais qu'il aimerait sortir avec une fille un peu moins gênée. Il va falloir que j'en parle à Jeanne. Sinon, il va lui glisser entre les doigts !

Maude

Chapitre 2 :
Sacs Ados

Lundi 18 mars

17 h 47

Katherine (en ligne): Allo, les filles!

17 h 48

Maude (en ligne): Tiens, t'es en vie, toi?!

17 h 48

Jeanne (en ligne): C'est vrai qu'on ne t'a pas vue de la journée!

17 h 49

Katherine (en ligne): Désolée... Je suis allée dîner à l'extérieur avec Éloi, et on est partis ensemble après l'école.

17 h 50

Maude (en ligne): Je suis étonnée qu'il ait laissé tomber son cours de macramé pour passer du temps avec toi.

17 h 51

Jeanne (en ligne): Arrête, Maude! Éloi a l'air *full* en amour. Moi, je vous trouve *cute* ensemble!

17 h 52

Katherine (en ligne): Merci! Et toi, quoi de neuf avec Karl?

17 h 53

Jeanne (en ligne): Rien.

17 h 54

Maude (en ligne): Comment ça, « rien » ? Il vient te rejoindre demain après l'école, et il sera aussi au petit party chez Lydia vendredi ! Je n'appelle pas ça rien !

17 h 55

Jeanne (en ligne): Je n'étais même pas au courant ! Comment sais-tu tout ça ?

17 h 55

Maude (en ligne): C'est José qui lui a suggéré de te faire une surprise demain après-midi, mais comme je sais que ça risque de te provoquer un arrêt cardiaque, j'aime mieux te prévenir.

17 h 56

Jeanne (en ligne): Merci ! Ça va aussi influencer mon choix vestimentaire.

17 h 56

Maude (en ligne): Mets le chandail vert que je t'ai prêté !

17 h 57

Katherine (en ligne): Bonne idée ! Ça te va *full* bien, le vert.

Jeanne (en ligne): OK. Et pour vendredi? Il y a une fête chez Lydia?

17 h 59

Maude (en ligne): Ouais... Je me suis dit qu'il fallait t'aider un peu! J'ai donc pensé organiser une petite fête, mais comme je suis chez mon père cette semaine, je n'avais pas le goût de la faire ici.

18 h 00

Katherine (en ligne): Pourquoi? Ton père n'est jamais là, non?

18 h 01

Maude (en ligne): Lui, non. Mais elle, oui.

18 h 01

Jeanne (en ligne): «Elle»? Tu veux parler de Marie-Pier? Je suis sûre qu'elle te donnerait la permission!

18 h 02

Maude (en ligne): Je n'ai pas besoin de sa permission pour faire un party! Le problème, c'est que je suis certaine qu'elle se joindrait à nous, et il est hors de question que ça arrive. Bref, Lydia a offert de le faire chez elle et j'ai accepté.

18 h 03

Katherine (en ligne): Bonne idée! Ça va être le *fun* de relaxer. Les profs sont tellement *rushants*, ces temps-ci! Je vais le dire à Éloi pour qu'il réserve sa soirée.

18 h 04

Jeanne (en ligne): C'est vrai que c'est une bonne idée. Merci, Maude, d'organiser des trucs de groupe. Pour vrai, ça me gêne vraiment moins quand vous êtes là!

18 h 04

Maude (en ligne): Pas de trouble! Bon, je vous laisse. J'ai une autre audition demain pour une marque de savon, alors je vais aller me faire un traitement intensif des pores!

18 h 05

Jeanne (en ligne): Bonne chance! On va penser à toi!

18 h 05

Katherine (en ligne): Bonne chance! *Luv!* xox

Jeudi 21 mars, 22 h 22

Cher journal,

Aujourd'hui, c'est la première journée officielle du printemps. Comme il fait super beau dehors, mon père a proposé ce matin que l'on amorce la saison du barbecue et j'ai accepté avec joie.

Quand je suis rentrée de l'école, j'ai toutefois été surprise de constater que Marie-Gossante était en train de cuisiner de la sauce qui pue.

Moi : Qu'est-ce que tu fais là ? Papa a déjà dit qu'on mangeait des hamburgers, ce soir.
MP (en goûtant à sa sauce) : Ouais, mais il vient de me téléphoner pour m'annoncer qu'il ne rentrerait qu'à 20 h 30.
Moi : OK. Alors, on peut l'attendre, non ?
MP (en me souriant) : Je connais assez ton papa pour savoir que quand il dit << 20 h 30 >>, ça veut dire 22 h.

Même si j'étais d'accord avec son analyse, le fait qu'elle dise << ton papa >> avec un ton enfantin m'a profondément tapé sur les nerfs.

Moi (en fronçant les sourcils) : Je préfère l'attendre. On ne sait jamais. Peut-être qu'il arrivera vraiment à 20 h 30.

MP : Tu sais, Maude, c'est *full* mauvais pour la santé de manger après 20 h. Je préférerais vraiment que tu soupes en même temps que moi, vers 18 h 45.

Elle a dit << *full* >> en faisant des signes de guillemets et en essayant de prendre le ton d'une ado cool.

Moi : J'ai dîné tard, alors je n'aurai pas faim à 18 h 45. Je préfère vraiment attendre mon père. Je suis sûre que mon corps va s'en remettre.

MP : Hum... C'est à tes risques et périls, ma chouette.

Je l'ai dévisagée.

MP : Tu vas voir, c'est *full* bon ! J'ai mis plein de légumes, et c'est *vegan* et bio !

En guise de réponse, j'ai ouvert le garde-manger pour prendre les biscuits au chocolat.

Moi (d'un ton sec) : J'ai des devoirs à faire. *Ciao.*
MP (en me suivant) : Mais tu viens de me dire que tu n'avais pas faim ! Pourquoi tu te bourres de sucre ?

Euh. Pour te faire *rusher,* c't'affaire !

J'ai claqué la porte de ma chambre et j'ai lancé la boîte de biscuits sur mon lit. C'est vrai que je n'avais pas faim. J'ai appelé José et on a discuté pendant deux heures au téléphone. Vers 20 h, je me suis installée devant la télé pendant que Marie-Gossante faisait son yoga dans la salle de séjour. Mon père est finalement rentré vers 21 h 45.

Mon père : Désolé du retard !
Moi (en me précipitant vers lui) : C'est correct. Je

t'ai attendu pour souper! On se fait un burger sur le barbecue?

Mon père (en ouvrant le frigo): Bonne idée! J'ai faim!

MP (en se pointant derrière moi et en faisant des yeux de chien battu à mon père): *Babe!* Oublie les burgers! J'ai fait une bonne sauce aux légumes, et j'aimerais vraiment ça que tu en manges!

Mon père: Ouais, c'est peut-être mieux pour ma ligne.

MP (en frappant des mains): Youpi! Maude, je te fais aussi réchauffer une assiette?

J'ai poussé un long soupir et j'ai regardé mon père en secouant la tête. Ça m'énerve tellement quand elle le manipule comme ça. C'est comme s'il perdait le contrôle de son cerveau et de sa colonne vertébrale pour se transformer en ver de terre.

Moi: Non merci. Je n'ai plus faim.

Je me suis aussitôt terrée dans ma chambre pour rager en écoutant de la musique. Pourquoi sa blonde ne comprend-elle pas que j'ai parfois besoin de passer du temps seule avec mon père?

J'ai déjà hâte de retourner chez ma mère. Elle est peut-être célibataire, mais au moins, elle a du temps pour moi.

Maude

Samedi 23 mars

13 h 44

Sophie (en ligne): T'es là?

13 h 44

Maude (en ligne): Ouais. Je fouine sur Facebook. Toi?

13 h 45

Sophie (en ligne): Je rêvasse les yeux ouverts...

13 h 45

Maude (en ligne): Laisse tomber les métaphores et raconte-moi ce qui te tracasse.

13 h 46

Sophie (en ligne): Ce n'est pas un tracas... C'est plutôt... une obsession.

13 h 47

Maude (en ligne): Oh oh! De quel gars s'agit-il?

13 h 47

Sophie (en ligne): Celui que j'ai embrassé chez José...

13 h 48

Maude (en ligne): Alex ? Soph, reviens-en ! C'était un jeu ! Tu l'as embrassé par hasard ! Pas parce que vous avez passé un moment romantique ensemble !

13 h 48

Sophie (en ligne): Je sais que c'était un jeu... mais hier, chez Lydia, mon regard a croisé le sien, et j'ai senti qu'il y avait peut-être quelque chose entre nous. Genre qu'il était peut-être intéressé, lui aussi.

13 h 49

Maude (en ligne): Tu as senti ça en un regard ?

13 h 50

Sophie (en ligne): Un regard et un sourire...

13 h 51

Maude (en ligne): Alex regarde tout le monde et sourit tout le temps. C'est un charmeur, Soph.

13 h 52

Sophie (en ligne): Je sais bien... Mais je n'arrive plus à me le sortir de la tête ! Penses-tu que je devrais lui dire ?

13 h 53

Maude (en ligne): Non. Je pense qu'Alex est un tombeur, et que si tu succombes, il va te rejeter du revers de la main. Ce qu'il faut, c'est qu'il pense que tu es inaccessible.

13 h 54

Sophie (en ligne): OK. Et comment je fais ça?

13 h 54

Maude (en ligne): En te montrant désintéressée et détachée et en collant d'autres gars devant lui.

13 h 55

Sophie (en ligne): Tu veux dire que la meilleure façon de charmer Alex est de l'ignorer et d'avoir d'autres prétendants?

13 h 55

Maude (en ligne): Ouais. Alex aime chasser les filles qu'il ne peut pas avoir. C'est d'ailleurs pour ça qu'il me *cruise* sans arrêt.

13 h 56

Sophie (en ligne): Alex te *cruise*? Ben là! Je n'ai aucune chance, alors!

13 h 56

Maude (en ligne): Il me drague parce que je ne succombe pas à son charme et que je sors avec José. Tu aurais donc une chance avec lui si tu deviens complètement hors d'atteinte.

13 h 57

Sophie (en ligne): Hum. Ouais, je comprends. OK. Je vais essayer ça! Merci pour les conseils!

13 h 58

Maude (en ligne): De rien! À lundi!

Mardi 26 mars, 21 h 22

Cher journal,

Quand je suis rentrée de l'école, j'ai appris que je n'avais pas décroché la publicité pour le savon. Je suis restée stoïque devant ma mère, puis je suis allée m'enfermer dans ma chambre pour pleurer dans mon oreiller. Je trouve ça injuste. J'en ai assez de me sentir rejetée. En plus, j'y croyais vraiment cette fois-ci, car les agents de *casting* avaient l'air d'être impressionnés.

Quand je me suis enfin calmée, j'ai entendu ma mère qui se disputait avec les filles de mon agence au téléphone. Elle leur disait que si ma carrière ne débloquait pas, c'était parce qu'elles ne ciblaient pas les meilleures auditions pour moi. J'espère sincèrement qu'elle a raison, et que ce n'est pas parce que le métier de mannequin n'est tout simplement pas fait pour moi.

Ma mère m'a ensuite proposé d'aller souper au restaurant pour me remonter le moral.

Nous sommes allées au petit italien du coin. Je me suis installée sur la banquette et ma mère a pris une profonde inspiration.

Ma mère : Chérie, j'aimerais ça qu'on discute de ta carrière.
Moi (en me renfrognant) : Ça ne me tente pas trop de parler de ça, maman.
Ma mère (en prenant ma main) : Ne fais pas cette mine-là. Tu es extrêmement jolie, tu es bourrée de talent, et je te jure qu'un jour, tu seras la top-modèle dont tout le monde parlera.

Elle se doit évidemment de me dire ça puisque c'est ma mère. J'apprécie ses efforts, mais ça ne me réconforte pas du tout. La vérité, c'est que je me sens plus comme un petit pois pourri enfoncé sous la terre en ce moment.

Ma mère (en continuant son discours motivateur) : Il ne faut pas que tu te décourages. Tu as une autre audition la semaine prochaine, et je suis certaine que ça ira très bien.

Elle a sorti son cellulaire de son sac à main.

Ma mère : D'ailleurs, ça me fait penser que je dois
avertir mon patron que je ne serai pas au bureau
mardi matin. Je tiens vraiment à t'accompagner.
Moi : C'est gentil, maman, mais tu n'es pas obligée
de venir.
Ma mère : J'y tiens vraiment, Maude. Tu sais que
ta future carrière me tient à cœur.
Moi : OK, mais je ne veux pas que ton boss capote
parce que tu rates des heures à cause de moi.
Ma mère : Ne t'en fais pas, je vais les récupérer !
Je travaillerai un peu plus tard ou je terminerai des
trucs durant la fin de semaine.

J'ai plissé les yeux et j'ai observé ma mère
pendant quelques secondes. Même si j'aime le fait
qu'elle croie autant en moi et qu'elle investisse
énormément d'énergie dans ma carrière, j'ai parfois
l'impression qu'elle le fait aussi pour éviter de
s'occuper de sa propre vie. Depuis le divorce, sa vie
sociale se résume au néant. Je ne l'ai jamais même
vue observer un homme du coin de l'œil.

Elle est pourtant très jolie pour son âge avec ses boucles blondes et ses yeux bleus. Elle est sportive, drôle, attentionnée. Si je l'amenais magasiner et que je retravaillais son style, je sais que je pourrais faire des miracles.

Moi : Maman ? T'as envie qu'on fasse les magasins jeudi soir ?

Ma mère a levé les yeux vers moi.

Ma mère : Pourquoi ? Tu ne m'as pas dit que ton père t'avait acheté l'équivalent du Centre Eaton en vêtements la semaine dernière ?

Moi : Oui... Mais on n'irait pas pour moi.

Ma mère (en me regardant d'un drôle d'air) : Es-tu en train de me dire que j'ai besoin d'un changement de look ?

Moi : Pas d'un << changement >> complet, mais peut-être d'une petite touche d'originalité et de couleur par-ci par-là ?

Ma mère : J'ai peur que ça me déprime d'essayer des trucs trop jeunes ou trop à la mode pour moi.

Moi: Tu es encore jeune, et il n'y a rien de << trop à la mode >> dans le monde. Allez! Ça va me faire du bien de me changer les idées!

Ma mère (en consultant son horaire sur son téléphone): Jeudi, ça va être difficile... J'ai une réunion à 18 h. Veux-tu qu'on y aille vendredi?

Moi: Impossible. José organise une petite soirée chez lui. Samedi?

Ma mère: Non, j'ai un congrès en fin de semaine... Ça ira donc à la semaine suivante, quand tu reviendras à la maison.

Moi: OK. Mais en attendant, essaie de lâcher un peu les tailleurs gris. T'as plein de petites robes *cute* qui feraient craquer les messieurs de ton bureau!

Ma mère a rougi. Je sais que ça la déstabilise quand je lui parle des hommes. Si seulement elle pouvait réaliser qu'il y en a d'autres que mon père...

Maude xox

Samedi 30 mars

13 h 47

Maude (en ligne): Pourquoi tu ne réponds pas au téléphone ?

13 h 48

Jeanne (en ligne): Excuse, j'aidais mon père à ranger le garage. C'est le ménage du printemps ! Qu'est-ce qui se passe ?

13 h 48

Maude (en ligne): En fait, je voulais te féliciter ! Tu avais l'air pas mal amoureuse hier soir. Tu as passé la soirée collée sur Karl !

13 h 49

Jeanne (en ligne): Hum. Ouais, ben je dirais plus que c'est lui qui a passé la soirée à me prendre la main et à m'attirer à lui. Moi, je me sentais toujours aussi mal à l'aise.

13 h 50

Maude (en ligne): Ça ne paraissait presque pas. Et comme je te l'expliquais hier, c'est mieux de le coller que de l'ignorer !

13 h 50

Jeanne (en ligne): Tu vois, nous ne sommes pas du même avis. Moi, je trouve ça plus facile de le fuir. En plus, il n'arrêtait pas de faire référence à moi comme étant « sa blonde »... Ça me fait suer quand il dit ça !

13 h 51

Maude (en ligne): Pourquoi? Tu n'es pas fan des étiquettes?

13 h 52

Jeanne (en ligne): Ne fais pas l'innocente, s'il te plaît! Je t'ai répété mille fois que ça me faisait paniquer d'avoir un chum officiel!

13 h 53

Maude (en ligne): Je ne fais pas l'innocente, Jeanne, mais tes gestes portent à confusion et ne reflètent absolument pas ce que tu dis! La preuve, tu avais l'air d'une fille *full* en amour hier soir. Si moi, je suis confuse, imagine un peu comment Karl doit se sentir! Une journée, il se sent rejeté, et l'autre, il est persuadé que tu es une blonde attentionnée!

13 h 54

Jeanne (en ligne): Je te jure que je ne sais pas comment j'ai fait pour me rendre là.

Lydia vient de se joindre à la conversation

13 h 55

Lydia (en ligne): Salut, les filles!

13 h 55

Jeanne (en ligne): Allo, toi!

13 h 56

Maude (en ligne): Salut!

13 h 57

Lydia (en ligne): Hey, c'était le fun hier chez José! Maude, toi et lui, vous avez passé la soirée à vous minoucher! Tout comme Karl et Jeanne d'ailleurs!! Vous étiez TELLEMENT *cute* ensemble!

13 h 57

Jeanne (en ligne): Misère...

13 h 58

Maude (en ligne): Arrête de bougonner! Mon rêve se réalise enfin puisqu'on sort tous les quatre ce soir!

13 h 58

Lydia (en ligne): Ouais, t'es vraiment chanceuse! Si j'étais toi, je pleurerais de joie d'avoir un gars cool comme Karl dans ma vie.

13 h 59

Jeanne (en ligne): Euh... Pleurer de joie? Me semble que c'est un peu intense. C'est juste un gars, Lydia. Ce n'est pas le dalaï-lama!

13 h 59

Lydia (en ligne): C'est qui, Dali Rama? L'inventeur du Dollarama?

13 h 59

Jeanne (en ligne): Laisse faire…

14 h 00

Maude (en ligne): Ce que Lydia et moi essayons de te faire comprendre, c'est que c'est génial d'avoir un gars dans sa vie! Karl est beau, populaire et il semble te trouver irrésistible! De quoi te plains-tu?

14 h 02

Jeanne (en ligne): De rien… Je pense que je ne suis juste pas habituée d'avoir «un chum» ou alors que je m'étais fait une fausse idée de ce que ce serait lorsque ça m'arriverait. Ça sonne un peu quétaine, mais je m'étais toujours imaginé que quand je serais en amour, mon cœur battrait à cent milles à l'heure en voyant mon chum ou en le sentant près de moi et que j'aurais une connexion extraordinaire avec lui. Disons que ce n'est pas tout à fait le cas avec Karl…

14 h 03

Maude (en ligne): Je persiste à croire que ça peut encore se développer… si tu lui en donnes la chance au lieu de le rejeter!

14 h 04

Lydia (en ligne): En tout cas, si jamais tu décides de casser, tu me le diras... J'irais bien le consoler, moi !

14 h 04

Maude (en ligne): Ne rêve pas en couleurs, Lili. Karl n'a d'yeux que pour Jeanne.

14 h 05

Jeanne (en ligne): Va savoir pourquoi...

14 h 06

Maude (en ligne): Parce que tu es une fille mystérieuse et que derrière ton apparence un peu distante se cache une personne qui aime passionnément et qui est prête à tout pour rendre son chum heureux.

14 h 07

Jeanne (en ligne): Hein? Ça sort d'où, ça? Un téléroman quétaine?

14 h 08

Maude (en ligne): Ça sort d'une revue bien intense que j'ai feuilletée à la pharmacie.

14 h 08

Jeanne (en ligne): OK... Mais ça ne me ressemble pas du tout.

Maude (en ligne): Ouais, mais ça, Karl ne le sait pas.

14 h 09

Jeanne (en ligne): Es-tu en train de me dire que tu as fait croire à Karl que j'étais une «fille mystérieuse, mais qu'il fallait qu'il perce ma carapace puisqu'une fois que j'offrais mon cœur, j'aimais passionnément et que j'étais prête à tout pour rendre mon chum heureux»?

14 h 10

Maude (en ligne): Peut-être...

14 h 10

Jeanne (en ligne): Maude! T'es ben nouille! Réalises-tu que je sors maintenant avec un gars que je n'aime pas vraiment et qu'il sort avec moi parce qu'il pense que je suis une autre? Ça n'a pas de sens, cette histoire-là!

14 h 11

Lydia (en ligne): Moi, je trouve ça ingénieux!

14 h 11

Jeanne (en ligne): En quoi c'est ingénieux? Le gars tripe sur une fille qui n'existe pas (ce qui explique d'ailleurs son attitude d'hier soir), et moi, je me force pour essayer de le trouver de mon goût, alors que ce n'est pas le cas!

14 h 12

Lydia (en ligne): Ouais, mais Karl n'est pas au courant de tout ça, alors tu peux essayer de te rapprocher de lui sans trop te mettre de pression puisque tu peux jouer un rôle!

14 h 12

Maude (en ligne): Tu vois? Lydia a tout compris, elle!

14 h 13

Jeanne (en ligne): Les filles, n'essayez même pas de me faire croire que c'est une bonne idée! Maude, pourquoi tu lui as dit ça?

14 h 13

Maude (en ligne): Parce que José m'a dit que Karl lui avait dit qu'il te sentait... euh... distante.

14 h 14

Jeanne (en ligne): Traduction: il me trouvait pognée?

14 h 14

Maude (en ligne): Ouais. Bref, j'ai voulu intervenir avant qu'il... euh... interprète mal la situation et décide de prendre ses distances.

Jeanne (en ligne): Traduction: tu t'es mêlée de mes affaires pour éviter qu'il casse avec moi parce qu'il me trouvait pognée. Ce n'est pas une mauvaise interprétation, c'est la réalité.

14 h 16

Lydia (en ligne): Wow! T'es bonne pour comprendre entre les lignes.

14 h 17

Jeanne (en ligne): Je suis aussi très bonne pour faire comprendre aux gens qu'ils sont allés trop loin. Maude, tu n'avais pas à agir comme ça.

14 h 18

Maude (en ligne): Je m'excuse... Mais je ne voulais pas qu'il casse sans avoir vraiment eu la chance de te connaître.

14 h 18

Jeanne (en ligne): OK, mais là ce n'est pas moi qu'il aura la chance de connaître. C'est une fille mystérieuse et soumise!

14 h 19

Maude (en ligne): Mais non! Tu vas voir que ce soir, ça va super bien aller.

14 h 19

Jeanne (en ligne): En tout cas, je te jure que je ne jouerai aucun rôle. Je serai moi-même, et si j'ai l'air trop pognée ou bizarre pour lui, alors bon débarras.

14 h 20

Lydia (en ligne): Parlant de bizarre... qu'est-ce qui s'est passé avec Sophie hier soir? Elle n'arrêtait pas de rire super fort pour attirer l'attention et elle a été *full* bête avec moi quand j'ai dansé avec Alex.

14 h 21

Maude (en ligne): Sophie aime Alex. C'est pour ça qu'elle était bizarre. Elle essaie d'attirer son attention par tous les moyens, alors que je lui avais clairement expliqué que la façon de séduire Alex, c'était d'être indépendante et inaccessible. Voilà ce qui arrive quand on ne suit pas mes conseils.

14 h 22

Jeanne (en ligne): Comme tes fameux conseils sont en train de me rendre la vie impossible, je ne suis pas la meilleure personne pour te donner raison sur ce point. Mais si vous voulez mon avis, je comprends Sophie d'être bizarre. C'est compliqué, les relations.

14 h 23

Lydia (en ligne): C'est vrai que c'est compliqué... mais c'est tellement cool! J'ai hâte d'avoir un chum!

Jeanne (en ligne) : Tu peux prendre le mien si tu veux.

14 h 24

Maude (en ligne) : Pas question ! Karl est à toi. Bon, je vous laisse. Ma mère n'est pas là alors je vais en profiter pour mettre de la musique super fort et faire le ménage de ma garde-robe. Jeanne, tu me rejoins chez moi vers 18 h ?

14 h 25

Jeanne (en ligne) : Ouais, OK. À tantôt.

14 h 25

Lydia (en ligne) : Profitez bien de vos chums, les filles ! xox

Mardi 2 avril, 18 h 22

Cher journal,

Ce matin, j'ai passé une audition pour une publicité de sacs à dos. Le problème, c'est que leur slogan (Sacs Ados) est complètement nul et que je devais faire semblant de trouver ça cool. Il y avait une séance de photos et aussi un test devant la caméra.

Le client m'a expliqué que je devais regarder la lentille, me présenter et expliquer en quelques mots en quoi j'étais une ado hors de l'ordinaire et pourquoi je serais la meilleure représentante des sacs Ados. Je ne suis peut-être pas la reine de l'improvisation comme les amies rejets d'Éloi, mais je sais très bien me débrouiller quand il est question de me vendre.

J'ai repoussé mes cheveux derrière mon épaule, j'ai mis un peu de brillant sur mes lèvres et j'ai souri.

Le caméraman : Action !
Moi (en étant la plus charmante des filles) :

Bonjour! Je m'appelle Maude Ménard-Bérubé, et j'aurai bientôt quatorze ans. Vous voulez savoir pourquoi je suis une adolescente pas comme les autres? C'est parce que j'ai confiance en moi. Je crois que dans la vie, il y a les filles qui suivent la mode et celles qui l'imposent. Je fais partie de la deuxième catégorie. Si vous me donnez la chance de faire de la publicité pour vos sacs, je vous assure que les filles de mon âge se les arracheront comme des petits pains chauds. Faites confiance à Maude Ménard-Bérubé pour une campagne publicitaire hors de l'ordinaire.

Le caméraman: Coupez!

Le client m'a souri, m'a serré la main et m'a dit que j'aurais des nouvelles bientôt. J'ai rejoint ma mère qui m'a accueillie comme une reine.

Ma mère (en sortant du local): Tu étais géniale. Aucun signe de nervosité.

Moi (en souriant à mon tour): La nervosité, c'est pour les faibles.

Ce qu'elle ne sait pas, c'est que j'avais les mains hyper moites et que mon cœur battait à pleine vitesse. J'étais fière de ma performance, mais les échecs que j'ai cumulés au cours des derniers mois commencent à peser lourd sur mes épaules. J'étais super stressée pendant l'audition. Heureusement que je suis une bonne comédienne...

Ma mère m'a ensuite déposée à l'école. Comme il restait vingt minutes avant la fin de la pause du midi, j'ai couru vers le casier de José pour lui raconter mon aventure. Je l'ai alors aperçu en grande discussion avec Katherine. Elle semblait se confier à lui, et il la regardait avec beaucoup trop d'intensité à mon goût. La joie que je ressentais s'est aussitôt transformée en jalousie et en colère. Pourquoi est-ce qu'ils se parlent autant et qu'ils semblent partager une si grande complicité? Et surtout, pourquoi est-ce que j'ai l'impression qu'ils profitent toujours de mon absence pour passer du temps ensemble? Je pensais pourtant que j'avais été claire avec Katherine.

J'ai plissé les yeux et j'ai réfléchi à mon plan d'action. Je pouvais les confronter et faire une crise à José devant Kath pour qu'elle se sente coupable, ou alors je pouvais aller me chercher un allié. J'ai choisi la deuxième option.

Je me suis rendue dans la salle des *nerds* et j'ai intercepté un gars à lunettes qui est dans ma classe.

Moi : Hey... toi !
Gars à lunettes : Mon nom, c'est Dominic.
Moi : Ouais... *Whatever.* As-tu vu Éloi ?
Gars à lunettes : Il a une réunion du journal.

J'ai tourné les talons et je me suis aussitôt rendue au local du journal étudiant. J'ai frappé à la porte. Éric est venu m'ouvrir. J'ai grimacé. Je déteste ce gars. En septembre dernier, j'ai postulé pour faire partie de leur équipe débile, mais il a réussi à monter tous les autres contre moi et ils ont refusé ma candidature sous prétexte que je n'avais pas l'esprit d'équipe. Ils m'ont jugée sans me connaître.

Je sais que c'est de sa faute à lui. Pour me venger, j'ai lancé une rumeur selon laquelle il était fou amoureux de moi, et que c'est pour cette raison qu'il n'avait pas voulu que je me joigne au journal. Comme j'avais déjà un chum, ça allait être trop douloureux de me fréquenter tous les jours sans pouvoir laisser libre cours à son désir.

Évidemment, tout le monde m'a crue. Il s'est fait niaiser par José et ses amis pendant une bonne partie de l'année. Ça a un peu apaisé ma frustration, mais je n'arrive toujours pas à oublier complètement ce qu'il m'a fait. À cause de lui, je ne pourrai pas inscrire dans mon CV que j'ai acquis de l'expérience en écriture grâce à mes activités parascolaires.

Éric (en écarquillant les yeux comme un poisson rouge): Oui, Maude. Que me veux-tu?
Moi (en le méprisant du regard du mieux que je pouvais): Je ne veux absolument rien de toi, *loser*. Ne prends pas tes rêves pour des réalités. Je veux parler à Éloi.

Il a secoué la tête en jouant au gars exaspéré et il est allé chercher Éloi, qui s'est pointé devant moi quelques secondes plus tard.

Éloi (en souriant): Salut! Éric m'a dit que tu voulais me voir?

Moi: Ouais. J'ai besoin de toi. Suis-moi, s'il te plaît.

Éloi: Je ne peux pas vraiment, Maude. Je suis en pleine réunion.

Moi: Oh, arrête. Le journal ne va pas s'effondrer si tu n'es pas là pendant cinq minutes. Et vous n'êtes pas le *New York Times*, non plus.

Éloi (en me regardant d'un drôle d'air): Tu connais le *New York Times*, toi?

Moi (en roulant les yeux): Non, Éloi. Je suis dinde et je connais juste les marques de vêtements dans la vie. Bon, viens-tu, là? J'ai besoin de toi.

Éloi (en soupirant): Qu'est-ce qui presse tant que ça? Je suis vraiment occupé en ce moment!

Moi: Est-ce que tu tiens à ta blonde?

Éloi (en changeant d'air): Oui. Pourquoi?

Moi: Eh bien, suis-moi. Ça presse.

Il a ramassé ses affaires et il m'a suivie jusqu'aux
casiers. J'ai pointé en direction de Katherine et
José, maintenant assis par terre, et qui écoutaient
de la musique en partageant une paire d'écouteurs.
José lui faisait entendre ses groupes préférés. C'est
le genre de truc qu'il fait habituellement avec moi.
Ça m'a complètement fait sortir de mes gonds.

Moi : OK. Elle m'énerve vraiment, là.
Éloi (en me dévisageant) : De quoi tu parles,
Maude ?
Moi : Ta blonde. Elle n'arrête pas de coller José.
Éloi : Euh, non. Ils sont amis. C'est tout.
Moi (en les pointant du doigt) : Ah ouais ? Et ça, ce
n'est pas louche ?
Éloi : Tu veux dire écouter de la musique ensemble ?
Euh, non.
Moi : T'es tellement naïf, mon pauvre. Katherine
se confie à moi. Je sais très bien que ça la gosse
que tu passes autant de temps dans tes activités
débiles. Réveille, si tu ne veux pas la perdre.

Mon intervention a semblé l'atteindre.

Éloi : Elle t'a vraiment dit ça ?

Moi : Ouais. Je ne me mêlerais pas de vos affaires si ton indépendance ne la poussait pas dans les bras de MON chum.

J'ai dit ces derniers mots en haussant le ton et tout le monde s'est tourné vers nous, incluant José et Katherine. Cette dernière a semblé surprise, mais contente de nous voir. Elle s'est levée et a couru vers Éloi.

Katherine (en se lançant dans ses bras) : Salut, toi ! Ta réunion a fini plus tôt ?

Éloi : Euh. Non, mais j'avais envie de passer un peu de temps avec toi.

Katherine : Cool ! Accompagne-moi à mon casier, alors ! Ça va nous laisser le temps de nous coller un peu.

Ils sont partis et José s'est avancé vers moi.

José : Salut, *babe.*

J'ai grimacé. J'haïs ça quand il m'appelle << *babe* >>, car c'est aussi le petit nom que Marie-Gossante donne à mon père.

Moi (froidement): Salut. Je ne te dérange pas trop, j'espère?

José: Non. Je t'attendais, et Kath me tenait compagnie.

Moi: Elle te tient tout le temps compagnie. Ça m'énerve.

José: *Come on*, Maude. Tu ne vas pas recommencer avec tes histoires de jalousie. Kath, c'est mon amie. Relaxe.

J'étais encore pompée, mais je n'avais pas envie qu'on se dispute, alors j'ai préféré changer de sujet.

Moi: Tu ne me demandes pas comment s'est passée mon audition?

José: Ouais. C'était comment?

Moi: Super! Je pense que cette fois-là, ça regarde vraiment bien.

José: Ouin, mais t'es mieux de pas trop te faire d'idées.

Sa réplique m'a piquée au ventre comme une broche en métal.

Moi : Euh. Pardon ? Pourquoi tu me dis ça ?
José : Ben, les dernières fois, t'étais à ramasser à la petite cuillère parce que tu avais des attentes trop élevées, alors je dis ça pour te protéger. Ça ne sert à rien de t'imaginer que tu seras top-modèle du jour au lendemain.
Moi : Es-tu en train de me dire que je ne devrais pas m'attendre à réussir ?

La cloche a sonné pour annoncer la reprise des cours.

José : Ha, ha ! Sauvé par la cloche. À plus tard, *babe* !

Il m'a embrassée rapidement sur la bouche et il est parti dans sa classe. J'ai mis quelques secondes à reprendre mes esprits. José m'avait vraiment blessée. Il est l'une des seules, ou plutôt LA seule personne à qui j'ose me confier quand ça ne va pas, et voilà qu'il se sert de mes confidences pour me rabaisser.

J'ai assisté à mes cours de l'après-midi comme un zombie, puis je suis partie de l'école sans même dire au revoir à José. Quand je suis rentrée chez moi, j'ai ignoré Marie-Gossante qui m'invitait à prendre une collation. Pourquoi elle ne se trouve pas un travail comme tout le monde au lieu de concocter des petits plats granoles? Comme ça, je l'aurais moins dans les pattes quand ça ne va pas.

Maude xox

Jeudi 4 avril

Maude (en ligne): Jeanne, t'es là?

17 h 44

Jeanne (en ligne): Oui! J'allais justement t'appeler. Qu'est-ce qui se passe avec toi? Tu n'as vraiment pas l'air dans ton assiette depuis deux jours et j'ai remarqué que tu boudais José.

17 h 45

Maude (en ligne): Si je t'en parle, est-ce que tu me promets de ne le dire à personne?

17 h 45

Jeanne (en ligne): Promis juré.

17 h 45

Maude (en ligne): José m'a dit quelque chose de vraiment blessant mardi midi, et je ne veux pas lui parler tant qu'il ne s'excuse pas.

17 h 46

Jeanne (en ligne): Qu'est-ce qu'il t'a dit?

17 h 46

Maude (en ligne): Disons qu'il n'a pas été *full* encourageant quant à ma carrière de mannequin.

17 h 46

Jeanne (en ligne): Ça ne m'étonne pas trop étant donné que José n'a aucun tact. Est-ce qu'il sait que ça t'a fait de la peine?

17 h 47

Maude (en ligne): Le pire, c'est que je crois qu'il ne s'en rend même pas compte. Je pense qu'il croit que je boude pour un truc de jalousie. Il ne réalise pas que ses paroles ont été blessantes.

17 h 48

Jeanne (en ligne): Et pourquoi tu ne lui en parles pas?

17 h 48

Maude (en ligne): Je suis trop en colère. Et pour une fois, j'aimerais qu'il devine sans que j'aie à m'expliquer.

17 h 49

Jeanne (en ligne): Maude, tu sais bien que José n'a pas de capacités divinatoires! Écris-lui un courriel, au moins.

17 h 49

Maude (en ligne): Ouais, ce n'est pas fou. Comme ça, je pourrai vraiment me vider le cœur.

17 h 50

Jeanne (en ligne): Et parlant de ta carrière... As-tu des nouvelles de ton audition?

Maude (en ligne): Non, mais mon agence m'a dit que le client ferait les retours d'appel demain, alors je vais être fixée!

17 h 51

Jeanne (en ligne): Je me croise vraiment les doigts, ma chérie!

17 h 52

Maude (en ligne): Merci! Et toi, quoi de neuf avec Karl? Tu ne m'en as pas parlé de la semaine!

17 h 53

Jeanne (en ligne): On ne s'est pas revus depuis notre soirée à quatre, mais ce n'est pas trop surprenant étant donné que ç'a été une catastrophe!

17 h 53

Maude (en ligne): Tu exagères!

17 h 54

Jeanne (en ligne): Maude! J'étais tellement nerveuse à cause de ton histoire de fille timide-pas-timide-qui-se-donne-en-amour que je ne savais même plus comment agir avec lui! Si vous n'aviez pas été là pour entretenir la conversation, je pense que je n'aurais pas prononcé un seul mot de la soirée!

17 h 55

Maude (en ligne): Ouais, mais ça cadre avec l'image que je lui ai donnée de toi!;)

17 h 55

Jeanne (en ligne): Pour être honnête, je trouve que ça commence à peser trop lourd.

17 h 55

Maude (en ligne): Tu veux casser?

17 h 56

Jeanne (en ligne): Il m'a appelée hier pour me proposer d'aller au cinéma samedi... Disons que ce sera la dernière chance de voir si je suis capable d'être à l'aise avec lui.

17 h 57

Maude (en ligne): OK. Et si jamais t'as besoin d'une béquille, tu me feras signe et je me joindrai à vous! Bon, il faut que je te laisse, il vient de se produire un miracle chez moi: mon père est déjà à la maison, et Marie-Pier n'y est pas! Je vais aller profiter un peu de sa présence.

17 h 58

Jeanne (en ligne): Cool! On se voit demain! xox

À : Vivajose@mail.com
De : Queenbee@mail.com
Date : Jeudi 4 avril, 22 h 02
Objet : Blessée

Salut,

Je voulais t'écrire pour t'expliquer ce qui se passe avec moi depuis quelques jours. Je t'avoue qu'un côté de moi espérait que tu comprennes tout seul, mais comme je ne veux pas que tu interprètes mal mon attitude, je préfère être claire avec toi.

Sache tout d'abord que je ne t'ignore pas à cause de Katherine. C'est vrai que ça m'a fâchée de vous voir ensemble et que ça me gosse qu'elle te colle autant, mais ce n'est pas pour ça que je boude.

Le problème, c'est que je t'ai trouvé vraiment blessant quand tu m'as parlé de mon audition et du fait que je ne devrais pas me faire trop d'attentes. Ce qui m'a fait encore plus de peine, c'est que tu n'as même pas cherché à te reprendre par la suite. Tu as juste ignoré le sujet, ce qui m'a poussée à t'ignorer à mon tour.

J'espère que tu comprends mieux comment je me sens. Ce n'est pas toujours facile de passer des auditions, et j'aimerais pouvoir compter sur toi pour me remonter le moral quand ça m'arrive d'échouer.

Je t'aime (malgré tout)
Maude

À : Queenbee@mail.com
De : Vivajose@mail.com
Date : Jeudi 4 avril, 22 h 36
Objet : Re : Blessée

Holà, mamacita !

Ça me soulage d'apprendre que ce n'est pas à cause de Kath. Je pensais vraiment que c'était pour ça que tu me boudais, et je refusais de céder à tes crises de jalousie.

Pour ce qui est de tes auditions, je crois que tu as mal interprété ce que je t'ai dit. *Anyway*, je pense que c'est mieux de mettre ça derrière nous. C'est presque la fin de semaine, et je ne veux pas de drame !

Te quiero,
José

Samedi 6 avril, 12 h 33

Cher journal,

Mon père et sa blonde m'énervent au plus haut point. Ce matin, je me suis levée en espérant prendre mon petit-déjeuner avec lui, mais il m'avait laissé une note pour me dire qu'ils étaient partis s'entraîner ensemble au gym. Déjà que je ne le vois pas de la semaine, est-ce qu'il pourrait au moins me réserver son samedi matin ?

Une chance que tu es là pour que je me défoule, parce que personne ne semble comprendre ce qui me pousse à détester Marie-Gossante. Pourtant, ce n'est pas comme si les raisons manquaient :

1. Elle a brisé ma famille.
2. Elle a fait de la peine à ma mère.
3. Elle essaie de parler comme une adolescente.
4. Elle essaie de contrôler ma vie, alors que ce n'est PAS ma mère.

5. Elle réussit à contrôler mon père et je le vois à peine à cause d'elle!

6. Elle nous prive de tous les aliments qui apportent du bonheur!

Heureusement, j'ai appris quelque chose qui me redonne le sourire. Hier, mon agence m'a appelée pour me dire que les agents de *casting* de Sacs Ados voulaient me voir pour une deuxième audition lundi! Apparemment, ils ont choisi dix candidates, et seulement quatre d'entre elles seront sélectionnées pour la campagne de publicité.

Ma mère était vraiment contente! Elle m'a promis qu'on célébrerait demain à mon retour chez elle.

L'autre bonne nouvelle, c'est que ça va mieux entre José et moi. C'est sûr qu'une partie de moi aurait préféré qu'il comprenne vraiment que son comportement m'a blessée et qu'on puisse en rediscuter au lieu d'éviter le sujet comme il le fait toujours quand on se chicane, mais il semble plus

attentionné et je me dis que c'est sa façon à lui de
me demander pardon.

Cet après-midi, Jeanne va au cinéma avec Karl.
José et moi irons les rejoindre en fin de journée.
La pauvre, je pense qu'elle a vraiment besoin de
nous pour se décoincer avec son chum. Elle m'a
expliqué qu'elle ne se sentait pas à l'aise avec lui. Je
suis décidée à faire tout en mon pouvoir pour qu'ils
restent ensemble. C'est trop cool d'avoir un couple
avec qui faire des activités !

Maude xox

À : Queenbee@mail.com
De : MarianneVancouver@mail.com
Date : Mardi 9 avril, 16 h 33
Objet : Tu vas... CAPOTER !

Salut, pitoune !

Tu ne devineras jamais ce que j'ai à t'annoncer ! Cette semaine, mon père a appris que ses bureaux déménageaient à... Montréal ! Oui, ma chère ! Après deux ans dans l'Ouest, je reviens en ville. Et on est en train de m'inscrire à votre école ! Même si je me suis fait de bons amis ici et que je vais m'ennuyer de Josh, j'ai *full* hâte de revenir et de retrouver la gang.

On est censés déménager en août, alors prépare la métropole pour moi, parce que ça va barder !!

Hugs et *kisses*

Marianne

Chapitre 3 :
Bougon, Tigros
et Étincelle

Mardi 9 avril, 21 h 36

Cher journal,

Je capote... TOUT VA MAL! Premièrement, j'étais
beaucoup trop nerveuse pour ma deuxième
audition lundi. J'ai l'impression que je ne serai
pas choisie. Il s'agissait d'une autre séance photo
avec le produit, et j'avais de la misère à me
détendre. Le photographe me donnait beaucoup plus
d'instructions qu'aux autres filles. Si je me fie aux
épisodes de *La prochaine top-modèle américaine*,
je suis portée à croire que ce n'est pas bon signe.
J'attends des nouvelles cette semaine.

Deuxièmement, je me suis disputée avec Éric
aujourd'hui. J'attendais en file à la cafétéria et j'ai vu
Sophie tout près de la caisse, juste devant Éric. Je me
suis donc faufilée jusqu'à elle. Monsieur a eu le culot de
me dire que je n'avais pas le droit de faire ça!

Éric: Euh! Qu'est-ce que tu penses que tu fais?
Moi (en imitant son ton): Euh! Je rejoins mon amie

qui est dans la file.

Éric : Et tu ne vois pas que ce faisant, tu dépasses tout le monde ?

Moi : << Ce faisant >> ? Vraiment ? C'est le fait que je t'aie rejeté qui t'a poussé à devenir *nerd* comme ça ?

Éric : Non, Maude. Je n'ai pas besoin de toi pour avoir du vocabulaire. Contrairement à certaines personnes, je sais dire autre chose que : << *OMG !* Si t'avais vu les tops et les jeans dans cette boutique. C'était juste m.a.l.a.d.e.! >>

Il a dit ça en essayant de m'imiter. Même si je trouvais son interprétation débile, les gens autour se sont mis à rire. Je l'ai regardé en plissant les yeux.

Éric : Et si t'es pour dépasser tout le monde, arrange-toi au moins pour avancer. Tu ralentis la file.

Comme j'étais déjà arrivée devant la caisse, je n'ai pas eu le temps de répliquer, mais je te jure que ce *nerd* ne perd rien pour attendre.

Aussi, j'ai eu ma note du dernier examen de maths : 49 %. Je savais que je n'avais pas assez étudié, mais je ne m'attendais pas à couler. J'ai fait croire aux filles que j'avais eu 70 %, mais je ne peux pas mentir à ma mère puisque le prof a exigé que je fasse signer ma copie. Je me suis dit que je lui en parlerais jeudi soir pendant notre virée de magasinage. Avec un peu de chance, son nouveau look la mettra de bonne humeur et l'empêchera de me faire la morale.

Enfin, j'ai aussi appris que Marianne revenait à Montréal et qu'elle allait fréquenter notre école en septembre. J'avoue que ça ne fait vraiment pas mon affaire. On s'entendait bien au primaire, mais les choses ont changé depuis. Je ne veux pas qu'elle pense qu'elle peut juste reprendre sa place comme si de rien n'était. Marianne est une fille qui adore l'attention, et ça me gosse quand elle déplace trop d'air.

Je vais aller me détendre en écoutant un peu de musique. D'habitude, ça me permet de rêver les

yeux ouverts et de me faire oublier tous mes
soucis.

Maude xox

Mercredi 10 avril

17 h 22

Maude (en ligne): Salut! Enfin, je te coince sur Skype! Tu ne pourras pas me fuir!

17 h 22

Jeanne (en ligne): Niaiseuse! Je ne te fuis pas!

17 h 23

Maude (en ligne): Je le vois bien que tu m'évites! Qu'est-ce qui se passe?

17 h 23

Jeanne (en ligne): Je peux être honnête?

17 h 24

Maude (en ligne): Bien sûr.

17 h 24

Jeanne (en ligne): Tu ne vas pas aimer ça...

17 h 25

Maude (en ligne): Vas-y pareil.

17 h 25

Jeanne (en ligne): Ce n'est pas la première fois que je te le dis, mais des fois, je trouve que José te traite mal. Il te manque de respect et ça m'enrage.

Maude (en ligne): Tu veux parler de ce midi quand on s'est disputés?

17 h 26

Jeanne (en ligne): Euh, non. Je ne savais même pas que vous vous étiez disputés! Qu'est-ce qui s'est passé?

17 h 27

Maude (en ligne): Même chose que d'habitude. Il a fait un commentaire qui m'a déplu sur une fille de secondaire 3. J'ai pogné les nerfs et ç'a dégénéré. Toi, tu faisais référence à quand, alors?

17 h 28

Jeanne (en ligne): À samedi quand vous êtes venus nous rejoindre après le cinéma. Je ne sais pas si c'était parce qu'il voulait avoir l'air cool devant Karl, mais je le trouvais encore plus intense que d'habitude.

17 h 28

Maude (en ligne): Intense dans quel sens?

17 h 29

Jeanne (en ligne): Avec ses commentaires de gars-qui-veut-avoir-l'air-d'un-tombeur. Genre «cette fille-là est tellement belle» ou «c'est sûr que si j'étais célibataire, j'essaierais de la conquérir».

Maude (en ligne): Ben là ! Il a dit « si j'étais célibataire ». Ce n'est pas pire.

17 h 29

Jeanne (en ligne): Maude ! Tu mérites mieux que ça ! Et ne viens pas me faire croire que ses remarques ne te dérangent pas. Je sais qu'elles sont à l'origine de pratiquement toutes vos chicanes !

17 h 30

Maude (en ligne): Oui, mais je sais aussi que je manque trop souvent de patience. Et que je ne peux pas changer José.

17 h 30

Jeanne (en ligne): Tu ne peux peut-être pas le changer, mais tu n'as pas non plus à accepter ça.

17 h 31

Maude (en ligne): Merci de me donner ton opinion, mais je préfère changer de sujet.

17 h 32

Jeanne (en ligne): Comme tu veux.

17 h 32

Maude (en ligne): Parlons plutôt de Karl et toi ! Tu avais l'air beaucoup plus à l'aise avec lui, samedi !

17 h 33

Jeanne (en ligne): Ouais, mais c'est parce que j'avais déjà pris ma décision.

17 h 33

Maude (en ligne): Quelle décision?

17 h 34

Jeanne (en ligne): Tu n'aimeras pas ça non plus.

17 h 34

Maude (en ligne): Non! Tu as décidé de casser avec lui?

17 h 34

Jeanne (en ligne): Oui. Je lui ai offert de venir me rejoindre à l'école demain après-midi pour lui annoncer.

17 h 35

Maude (en ligne): C'est poche! Pourquoi tu ne le gardes pas un peu plus longtemps?

17 h 35

Jeanne (en ligne): Ben là! Ce n'est pas un vieux chandail dont je peux me départir quand je veux!

17 h 36

Maude (en ligne): Je sais... Mais je trouve ça poche que tu casses. C'était le *fun* de pouvoir sortir avec vous!

17 h 36

Jeanne (en ligne): Pour être honnête, les moments passés avec José et toi comptent parmi les meilleurs souvenirs que je garde de ma relation. Ça en dit long sur la profondeur de mon lien avec Karl!

17 h 37

Maude (en ligne): Hum. Ouais, j'avoue. Arg. Ce n'est vraiment pas ma semaine. ☹

17 h 37

Jeanne (en ligne): Pourquoi tu dis ça? Tu n'as pas décroché la pub de Sac Ados?

17 h 38

Maude (en ligne): Je suis toujours sans nouvelles...

17 h 38

Jeanne (en ligne): Alors, gardons espoir! Bon, je dois filer. J'ai promis à ma mère de l'aider pour le souper. On dîne ensemble demain?

17 h 39

Maude (en ligne): OK. Avec un peu de chance, je pourrai te convaincre de laisser une dernière chance à Karl!;)

17 h 39

Jeanne (en ligne): Hum... Rêve toujours !;)

17 h 40

Maude (en ligne): À demain ! xx

Vendredi 12 avril, 22 h 36

Cher journal,

Je capote! En rentrant de l'école, ma mère
m'a annoncé que les gens de Sacs Ados avaient
téléphoné. J'ai été sélectionnée pour faire partie
de la campagne publicitaire! Je suis TELLEMENT
contente! Après la semaine que je viens de passer,
ça fait du bien de recevoir une aussi bonne
nouvelle. Le *shooting* aura lieu la fin de semaine
prochaine. Je ne sais pas encore si je ferai partie
de la campagne publicitaire à la télé ou plutôt dans
les stations de métro ou sur les abribus, mais
l'important, c'est que je sois mise de l'avant et que
les gens me reconnaissent.

Pour couronner cette journée, je suis allée
magasiner avec ma mère au centre-ville. Je l'ai
convaincue d'acheter plein de trucs colorés et un
peu plus osés pour qu'elle se démarque des autres
femmes et qu'elle accroche le regard des beaux
messieurs.

J'ai décidé de lui annoncer mon échec en maths alors qu'elle essayait un chemisier chez Zara.

Moi (en parlant tout bas près de l'embrasure de la porte) : Maman ?

Ma mère : Oui ?

Moi : J'ai quelque chose à te dire...

Ma mère (en ouvrant la porte de la cabine d'essayage et en me regardant d'un drôle d'air) : Tu me trouves folle d'essayer un chemisier à pois, c'est ça ? Je savais que ça me donnerait l'air d'une mère qui n'assume pas son âge.

Moi (en l'observant) : Euh, non. Ce chemisier te va super bien. Il te rajeunit et te donne plutôt l'air d'une mère cool qui s'assume.

Ma mère (en se regardant dans le miroir) : Merci, t'es fine. Que voulais-tu me dire, alors ?

Moi (en baissant les yeux) : Euh. Tu ne seras pas contente de l'apprendre.

Ma mère (en se tournant vers moi) : Quoi ? Qu'est-ce qui se passe ?

Moi : Ben... euh... J'ai reçu ma note du dernier test de maths, et disons que ce n'est pas aussi bon que je l'aurais espéré.

Ma mère : Ça veut dire quoi, ça ?

Moi : Ça veut dire que j'ai investi beaucoup d'énergie dans mes auditions et que je n'avais pas la tête à l'algèbre.

Ma mère : Maude. Arrête de tourner autour du pot. Quelle note as-tu eue ?

Moi : 60 %...

Ma mère (en poussant un soupir de soulagement) : Au moins, tu as la note de passage.

Moi : ... moins 11 %.

Ma mère : Donc tu as eu... 49 % ? Maude, ça n'a aucun sens ! D'habitude, tu es super bonne en maths !

Moi : Je sais. Je te promets que je vais me rattraper.

Ma mère : J'y compte bien. Je ne veux pas que tes auditions nuisent à ta réussite scolaire. Tu sais très bien que ton père partage mon opinion là-dessus.

Moi : Tu n'as aucun souci à te faire. Je vais clencher au prochain exam. Promis.

Ma mère : Je vais te faire confiance ! Mais c'est vraiment important que tu remontes ta moyenne.

Sinon, il va falloir songer à couper les auditions...
Moi : Pas besoin de t'en faire, maman. J'ai eu ma leçon et ça ne se reproduira pas.

Après notre virée dans les boutiques, nous avons commandé de la soupe tonkinoise dans notre restaurant préféré dans le but de la dévorer à la maison devant un film romantique. C'est exactement le genre de soirée que ma mère et moi adorons passer ensemble. Comme je la sentais détendue, j'en ai profité pour lui parler un peu de sa vie sociale (ou plutôt de son manque de relations avec le monde extérieur).

Moi (en consultant Netflix sur la télé) : Je veux trouver un film qui finit bien pour te donner espoir !
Ma mère (en posant les bols de soupe sur la table du salon) : Espoir en quoi ?
Moi : Espoir que tu peux être heureuse, maman.
Ma mère (en pouffant de rire) : Ben là ! Je suis très heureuse ! J'ai une belle grande fille et je fais un métier que j'adore.
Moi (en sélectionnant un film avec Jennifer Aniston) :

Je sais, mais il n'y a pas que le travail, dans la vie.

Ma mère (en s'assoyant à côté de moi sur le sofa) : En effet. Il y a aussi ta future carrière de mannequin. Pourquoi crois-tu que je m'investis autant ?

Moi : Je sais, et je l'apprécie beaucoup... mais ce que je veux dire, c'est que tu pourrais aussi faire des activités de ton âge.

Ma mère : Ça veut dire quoi, ça ?

Moi : Je ne sais pas. Ça fait quoi, les femmes de quarante-trois ans ?

Ma mère (en souriant) : Ça travaille pour être capable de payer de belles photos de *casting* à leurs filles !

Moi : Et tes amies, elles font quoi pour s'occuper ?

Ma mère (en soupirant) : Elles prennent soin de leur mari, ou alors de leur plus jeune enfant, produit de leur deuxième union.

Moi : Ne fais pas cette face-là. Rien ne t'empêche d'en avoir une, << deuxième union >>. Parlant de ça, je suis certaine que ça te ferait du bien d'avoir un chum.

Ma mère a détourné le regard et elle s'est empressée de commencer le film et de manger sa soupe. C'est la même chose qui se produit chaque fois que j'essaie de la convaincre de refaire sa vie. Le divorce l'a vraiment secouée, mais là, ça fait quatre ans! Je crois qu'il est temps qu'elle s'en remette.

J'ai essayé de me concentrer sur les aventures de Jennifer, mais je n'arrivais pas à chasser notre discussion de mon esprit. La vérité, c'est que ça m'énerve beaucoup que la séparation de mes parents soit aussi taboue. Je ne peux pas en parler à ma mère, puisque ça fait ressurgir des souvenirs trop douloureux. Je ne peux pas non plus en discuter avec mon père, puisqu'il se sent encore coupable d'avoir laissé ma mère pour sa potiche et de lui avoir causé une peine aussi immense.

L'autre chose, c'est que je trouve que ma mère fait un peu pitié et que je ne comprends pas pourquoi elle reste seule. Si j'étais elle, je chercherais à me venger en séduisant l'homme le plus *cute* du bureau et en paradant avec mon bonheur devant mon père. Peut-être qu'en revoyant ma mère aussi rayonnante, il réaliserait enfin qu'il a commis une grosse erreur en quittant la maison et qu'il laisserait tomber sa mangeuse de tofu.

Après le film, j'ai convaincu ma mère de réessayer tous ses nouveaux vêtements. On a alors improvisé un petit défilé et on a beaucoup ri. Mine de rien, j'avais l'impression de retrouver mon ancienne maman, celle qui avait le cœur léger et qui semblait en pleine possession de ses moyens. Ça me faisait tellement de bien de la voir se dandiner avec des étincelles dans les yeux.

Si seulement elle était toujours comme ça, je suis certaine qu'elle se ferait un chum en claquant des doigts. Même si le départ de mon père a anéanti son estime personnelle, je suis convaincue que l'arrivée d'un nouvel homme lui redonnerait un élan de confiance et qu'elle réaliserait qu'elle n'a rien à envier aux Marie-Gossante de ce monde.

Mais comme elle est aussi entêtée que Jeanne et qu'elle refuse de foncer, je suis en train de me dire qu'il me faudra aussi intervenir pour faire bouger les choses...

Maude xox

Dimanche 14 avril

14 h 32

Sophie (en ligne): Allo, chérie! Alors, ta fin de semaine?

14 h 33

Maude (en ligne): Pas pire! J'ai passé beaucoup de temps avec ma mère, et hier soir, José est venu regarder un film chez moi. Toi?

14 h 33

Sophie (en ligne): Je suis allée à Tremblant avec ma mère et mon beau-père.

14 h 34

Maude (en ligne): Parlant de ça... Ça fait combien de temps qu'ils sont ensemble?

14 h 34

Sophie (en ligne): Ça vient de faire un an.

14 h 35

Maude (en ligne): Sais-tu où ils se sont rencontrés?

14 h 35

Sophie (en ligne): En ligne. Ma mère s'était abonnée à des sites de rencontre. Pourquoi tu me demandes ça?

14 h 36

Maude (en ligne): Pour ma mère. Je lui cherche un chum.

14 h 36

Sophie (en ligne): Si jamais tu tombes sur une offre spéciale, ne te gêne pas pour m'en dénicher un !

14 h 37

Maude (en ligne): Si tu suivais mes conseils au lieu de coller Alex, tu aurais déjà un chum.

14 h 37

Sophie (en ligne): Je sais... Mais on dirait que ce n'est pas dans ma nature d'être indépendante !

14 h 38

Maude (en ligne): Est-ce que le fait d'être dépendante t'aide à faire avancer les choses ?

14 h 38

Sophie (en ligne): Non... Je dirais plutôt qu'Alex me fuit et qu'il me trouve gossante.

14 h 39

Maude (en ligne): Je suis d'accord avec ton interprétation. C'est pour ça qu'il faut que tu le laisses respirer.

14 h 39

Sophie (en ligne): Peux-tu m'aider ?

14 h 40

Maude (en ligne): À le laisser respirer ?

14 h 40

Sophie (en ligne): Ouais. Je suis comme poche là-dedans.

14 h 41

Maude (en ligne): C'est facile, Soph : t'as juste à te tenir loin de lui, à ne pas lui adresser la parole et à te concentrer sur les autres gars de l'école.

14 h 42

Sophie (en ligne): Ouais, mais je n'y arrive pas. Je n'ai que lui en tête.

14 h 42

Maude (en ligne): Je vais faire mon possible pour t'aider, mais je pense que ça ne te ferait pas de tort de t'acheter un peu d'orgueil au dépanneur.

14 h 43

Sophie (en ligne): Hein ? Ça s'achète ?

14 h 43

Maude (en ligne): Laisse faire... Tu ne comprends pas le sarcasme.

14 h 44

Sophie (en ligne): Le sarcasme ? Ça s'achète aussi ?

14 h 45

Maude (en ligne): Oui. Ça vient dans les paquets de gomme balloune. Bon, je dois te laisser. Tu m'as donné un bon flash avec ton histoire de sites de rencontre. À demain! xx

Mercredi 17 avril, 17 h 36

Cher journal,

Me voilà de retour chez mon père, ce qui fait
plutôt mon affaire étant donné que je travaille très
fort sur le dossier de ma mère et que je préfère
qu'elle ne soit pas dans les environs pour compléter
ma mission.

Comme je sais fort bien que maman ne fera pas
les premiers pas pour rencontrer un homme, je me
suis dit que je le ferais pour elle. Étant donné que
je ne peux pas sortir dans les bars ou *cruiser* à sa
place, j'ai décidé de lui créer un compte sur Réseau
Amour en me faisant passer pour elle. Après tout,
il y a plein de gens qui connaissent l'amour en s'y
prenant de cette façon! Voici un petit aperçu de
son profil.

Nom : Val33
Âge : 43 ans
Statut : Divorcée

Intérêts : Tennis, golf, escrime, criquet, cuisine indienne, yoga, bouddhisme, méditation, tai chi, équitation, harpe, harmonica, guitare, flamenco, cinéma, plongée sous-marine, parachutisme, randonnées en nature, lecture, céramique, peinture, ébénisterie, voyages, canot-camping, échecs, macramé, etc.

Message de présentation : Bonjour ! Je suis une femme touche-à-tout qui recherche un homme drôle, cultivé, intellectuel, sportif et aimant. Polyglotte serait apprécié. Prière de ne pas me contacter si vous parlez comme un ado, si vous êtes un adepte de la cuisine sans gluten ou si vous aimez le surnom << babe >>.

Tu me diras peut-être que j'ai un peu abusé avec les passe-temps, mais je voulais que les hommes soient attirés par la polyvalence de ma mère et qu'elle ne passe pas à côté de l'amour de sa vie simplement parce qu'elle n'était pas une adepte des fléchettes... Tiens, voici une autre activité à ajouter ! J'ai évidemment choisi une photo d'elle devant la tour Eiffel à Paris. Elle porte des lunettes de soleil et regarde au loin d'un air songeur. Je me suis dit que ça lui donnerait un air un peu mystérieux.

Je me suis aussi assurée de ne pas attirer les Marie-Pier masculins de ce monde. Ma mère mérite un homme distingué qui saura être discret à ses heures. J'ai bien hâte de voir quelles réponses elle (j') obtiendra(i) !

À : MarianneVancouver@mail.com
De : Queenbee@mail.com
Date : Samedi 20 avril, 15 h 33
Objet : Salut !

Salut, Marianne !

C'est très cool que tu reviennes à Montréal. Connais-tu la date exacte de ton retour ? Comme chaque année, je pars à Cape Cod pendant trois semaines en juillet, alors j'espère que je ne te raterai pas.

Grâce à tous les programmes d'immersion que j'ai suivis au cours des dernières années, je suis devenue parfaitement bilingue, alors cet été, je participerai à un atelier sur la mode et les processus d'audition. C'est une sorte de camp, mais avec du style et des gens pas *loser*. Je pense que non seulement je pourrai apprendre des techniques, mais aussi leur enseigner certaines forces que j'ai acquises grâce aux publicités que j'ai décrochées ici.

Parlant de ça, j'ai dû me lever à 5 h ce matin pour me rendre dans le Vieux-Montréal. J'ai obtenu une pub pour des sacs vraiment tendance. Je participais à un *shooting* photo très glamour devant le Marché Bonsecours. On pourra donc me voir partout sur les autobus et dans les stations de métro.

Sinon, oui, je file toujours le parfait bonheur avec José. Il est tellement *sweet* et attentionné. C'est vraiment le chum parfait. Jeanne est sortie avec un de ses amis, mais elle a décidé de casser. Elle le trouvait trop accroché à elle. Lydia et Sophie sont effectivement encore célibataires. J'aimerais leur trouver des chums avant qu'elles ne deviennent trop désespérées. Tu sais comme moi qu'une fille qui veut trop, ça se sent à des kilomètres à la ronde !

J'espère que tu n'auras pas trop un choc en revenant ici. Tu vas voir que les choses ont beaucoup changé depuis deux ans. Je sais que ce n'est pas toujours évident de s'intégrer, mais si tu suis mes conseils, tout ira pour le mieux.

Tu salueras Josh pour moi. En photo, il a l'air assez gentil.

Maude xox

Lundi 22 avril, 19 h 36

Cher journal,

Je suis claquée. J'ai passé la fin de semaine à travailler pour la publicité de Sacs Ados, et disons que ce n'était pas aussi génial que je l'avais imaginé. Je me suis pointée là à 5 h, samedi matin, et il pleuvait à boire debout. Le producteur m'a alors annoncé que je ne ferais pas partie de la campagne télévisuelle. J'avoue que j'ai été déçue, mais je me suis consolée en me disant que les jeunes de mon âge utilisaient beaucoup les transports en commun et que ça me ferait quand même une super visibilité.

J'ai attendu près de trois heures avant qu'on s'active. La pluie a finalement cessé, mais il faisait super froid. Ce n'était pas évident de garder le sourire et d'avoir l'air détendu en petite robe, alors que je grelottais. On nous a assigné des places sur le trottoir devant le Marché Bonsecours. J'étais jumelée à deux gars et une fille. On devait avoir l'air de marcher en riant et en mettant nos Sacs Ados bien en valeur. Le photographe a proposé différentes mises en scène, alors je me croise les doigts pour que je sois au premier plan de la photo qui sera sélectionnée.

Avec tout ça, j'ai à peine eu le temps de gérer la page de ma mère, mais je me suis attelée à la tâche hier soir. À ma grande surprise, sa boîte de courriels ne débordait pas de messages langoureux. Peut-être que les hommes ont été refroidis par ma hantise du terme << *babe*>>... Si c'est le cas, bon débarras!

Elle a tout de même reçu des messages de trois prétendants. Je te les présente à l'instant.

Candidat numéro 1: Bougon

Son nom n'inspire pas la joie et la bonne humeur, mais si je me fie à la surutilisation d'adjectifs positifs utilisés dans son courriel, j'en conclus que c'est de l'ironie.

Je suis un bon vivant qui aime le bon vin, la bonne bouffe, les beaux voyages et les belles rencontres.

J'aimerais bien apprendre à te connaître. Tes champs d'intérêt semblent captivants. Peux-tu m'en parler davantage?

Comme je ne connais rien à la plupart des passe-temps que ma mère est censée pratiquer, je me vois contrainte de *flusher* Bougon.

Candidat numéro 2 : Tigros

Je sais que son surnom fait peur, mais si c'est vraiment lui qui apparaît sur sa photo de profil, il pourrait plutôt s'appeler << Abdos de fer >>. Voici ce qu'il a écrit à ma mère :

Bonjour, Val33! Tu as l'air d'une fille super, et j'aimerais bien te rencontrer. J'aime les femmes touche-à-tout. J'ai pratiqué l'escrime pendant treize ans et je parcours le globe à la recherche des meilleurs endroits pour faire de la plongée, alors je crois qu'on aurait beaucoup à se dire à propos de nos passions communes. J'attends de tes nouvelles!

En voilà un autre qui tripe sur les loisirs que j'ai inventés. Comme ma mère a peur de l'eau et qu'elle a horreur des armes (incluant les épées), Tigros ne passe pas le test. *Next!*

Candidat numéro 3: Étincelle

À première vue, son surnom m'a fait penser à celle d'une garderie ou d'un gars trop plein de pep qui propose de partir en randonnée pédestre à 5 h le samedi matin, mais son message m'a prouvé le contraire.

Salut, Val! Je sais que tu dois recevoir des tonnes de courriels, alors j'espère que le mien se rendra tout de même jusqu'à toi. Je suis un gars assez simple qui aime faire la grasse matinée, souper en amoureux et voyager. Ta photo de profil a attiré mon attention. J'adore Paris et j'y vais assez souvent pour le travail. Je te trouve très jolie et j'aimerais bien apprendre à mieux te connaître. Donne-moi des nouvelles si le cœur t'en dit!

Évidemment, le fait qu'il s'envole régulièrement vers Paris lui donne des points supplémentaires. Je m'imagine déjà sur les Champs-Élysées avec ma mère et Étincelle. J'ai donc décidé de le relancer.

Bonjour, Étincelle,

Quel bonheur d'apprendre que tu es, toi aussi, un amoureux de la Ville Lumière. C'est un endroit très romantique. Je rêve d'y retourner avec mon futur amoureux pour profiter pleinement de tout ce qu'elle a à offrir. En observant ta photo de profil, je crois comprendre que l'étincelle à laquelle tu fais référence dans ton nom provient de tes yeux. J'aimerais aussi apprendre à mieux te connaître. J'espère avoir de tes nouvelles très bientôt.

Valérie

J'ai choisi de me vieillir de quelques mois et de lui lancer un compliment à mon tour. J'ai essayé d'être un peu poétique. J'espère que ça lui plaira. J'ai aussi décidé de signer en utilisant le vrai prénom de ma

mère. Ç'a plus de classe que << Val33 >>. J'ai bien
hâte de voir ce qu'il me répondra.

Pour ce qui est de l'école, le prof de français nous
a annoncé que l'on pouvait participer à un concours
d'écriture organisé par la commission scolaire.
Chaque école doit sélectionner un texte par niveau.
Ce dernier sera en compétition avec ceux des
autres écoles. Je pense que c'est vraiment une
super occasion d'ajouter un honneur littéraire à
mon curriculum. Comme Éric la cruche m'empêche
de participer au journal, je pourrais au moins me
reprendre en remportant le premier prix.

Le prof nous a aussi remis une feuille expliquant
bien les critères et les règlements. En gros,
les élèves de secondaire 2 doivent rédiger un
texte fictif de cinq cents mots. Le thème : le
dépaysement. J'ai eu l'idée de raconter l'histoire
d'une jeune fille qui doit passer plusieurs semaines
en Martinique pour assister à un défilé de mode.
Premièrement, je connais bien l'endroit puisque j'y
suis allée deux fois avec mes parents avant qu'ils

se séparent, et deuxièmement, je pourrai intégrer
toutes mes connaissances en matière de mode.
Je crois vraiment que ça me donnera des points
supplémentaires!

Bon, je te laisse. J'ai un autre examen de
mathématiques demain, et il faut vraiment que
j'étudie si je veux augmenter ma note. José m'avait
promis de m'aider, mais il ne m'a toujours pas
appelée. ☹

Maude xox

Mercredi 24 avril

22 h 12

Lydia (en ligne): Salut! Qu'est-ce que tu fais?

22 h 13

Maude (en ligne): Je travaille sur le texte du concours d'écriture. Ça avance vraiment bien! J'aurai en masse le temps de le terminer pour lundi! Toi?

22 h 14

Lydia (en ligne): J'étudie. Dans notre classe, l'exam de maths est seulement demain. D'ailleurs, tu ne voudrais pas m'aider?

22 h 14

Maude (en ligne): T'aider à quoi?

22 h 15

Lydia (en ligne): Ben, à me préparer, c't'affaire! Tu l'as fait hier.

22 h 15

Maude (en ligne): Ouais, mais le prof est pas assez niaiseux pour vous donner le même! Il sait bien que sinon tout le monde à part les *nerds* (Éric) va copier!

Lydia (en ligne): Ouin, je n'avais pas pensé à ça. Le vôtre, est-ce qu'il était difficile?

22 h 16

Maude (en ligne): Moi, je n'ai pas trouvé. Mais je suis bonne en maths.

22 h 16

Lydia (en ligne): Coudonc, y a-tu un talent que tu n'as pas?

22 h 17

Maude (en ligne): Je serais tentée de répondre non. ;)

22 h 17

Lydia (en ligne): LOL! Hey, as-tu reçu un courriel de Marianne, toi aussi? Elle m'a écrit la semaine dernière pour m'annoncer qu'elle revenait en ville. Ça va être tellement cool de l'avoir dans la gang!

22 h 18

Maude (en ligne): Mouais, elle m'a dit ça.

22 h 18

Lydia (en ligne): Tu n'es pas contente?

22 h 19

Maude (en ligne): Ouais, ouais. Du moment qu'elle ne nous casse pas les oreilles à tous les jours avec ses histoires de Colombie-Britannique. *Bo-ring!*

22 h 19

Lydia (en ligne): Ouais, j'avoue. C'est vrai qu'elle parle beaucoup, des fois.

22 h 20

Maude (en ligne): Tu te rappelles qu'elle est un peu «pense bonne»? Moi, ça me gosse les gens qui veulent de l'attention à tout prix.

22 h 21

Lydia (en ligne): Ah ouais, c'est vrai. Alors tu ne voudras pas être amie avec elle à son retour?

22 h 21

Maude (en ligne): Oui, mais on ne sera pas aussi proches que toi et moi.

22 h 22

Lydia (en ligne): Cool. Ça me rassure. En passant, as-tu envie de faire quelque chose en fin de semaine?

22 h 23

Maude (en ligne): OK. Qu'est-ce que tu proposes?

Lydia (en ligne): Une soirée de filles chez nous avec Kath, Jeanne et Sophie, ce serait le *fun* ! On pourrait regarder des films d'horreur et dormir dans le sous-sol !

22 h 24

Maude (en ligne): T'es sûre que tu veux inviter Katherine ?

22 h 24

Lydia (en ligne): Ben, ouais. Pourquoi ?

22 h 25

Maude (en ligne): Je ne sais pas. Je la trouve nouille, des fois.

22 h 25

Lydia (en ligne): Est-ce que c'est à cause de José ?

22 h 25

Maude (en ligne): Qu'est-ce que tu veux dire ?

22 h 26

Lydia (en ligne): Genre parce que tu trouves qu'elle colle trop José.

22 h 26

Maude (en ligne): Qui t'a dit ça ?

22 h 26

Lydia (en ligne): Personne. Je vous ai entendus vous chicaner l'autre fois près des casiers.

Sophie vient de se joindre à la conversation

22 h 27

Sophie (en ligne): Allo, les *babes*!

22 h 27

Maude (en ligne): N'utilise pas cette expression-là. Ça m'énerve.

22 h 28

Sophie (en ligne): Désolée. Hey, j'ai quelque chose de bien excitant à vous annoncer!

22 h 29

Lydia (en ligne): Quoi?

22 h 29

Sophie (en ligne): Devinez avec qui je viens de raccrocher au téléphone?

22 h 29

Lydia (en ligne): Maude?

22 h 30

Maude (en ligne): Ben non, niaiseuse! On *tchatte* depuis tantôt! C'est évident que je ne parlais pas avec elle.

22 h 30

Lydia (en ligne): Ah, c'est vrai. Jeanne?

22 h 31

Sophie (en ligne): Non. Jeanne est *cute*, mais ça ne me fait pas cet effet-là quand elle m'appelle! Je parle d'Alex!

22 h 31

Maude (en ligne): Alex?

22 h 31

Lydia (en ligne): Alex, le Alex de l'école?

22 h 31

Sophie (en ligne): Ben oui! Alex, mon Alex.

22 h 32

Maude (en ligne): Relaxe. Ce n'est pas «ton» Alex!

22 h 32

Sophie (en ligne): Ben, ça pourrait le devenir! Après tout, s'il m'appelle un mercredi à 22 h, ça veut sûrement dire quelque chose!

22 h 32

Maude (en ligne): Genre qu'il veut que tu l'aides en maths?

22 h 33

Sophie (en ligne): Pfff. Pas juste ça!

22 h 33

Maude (en ligne): Il t'a appelée pour ça, oui ou non?

22 h 34

Sophie (en ligne): Ben oui, mais je lui ai aussi parlé d'autres affaires.

22 h 34

Maude (en ligne): Comme?

22 h 34

Sophie (en ligne): Ben, j'ai fait une blague sur le prof, et il a ri.

22 h 34

Maude (en ligne): Je me sens mal de te dire ça, Soph, mais je pense que ton chien est mort.

22 h 35

Lydia (en ligne): Oh, non! Pas Pollux??? Ton labrador est mort?

22 h 35

Sophie (en ligne): Non, Pollux va super bien. Il est couché à côté de moi en ce moment.

22 h 35

Maude (en ligne): Je ne parle pas littéralement de son chien! Ce que je veux dire, c'est que ta cause est perdue avec Alex. C'est mieux que tu passes à autre chose.

22 h 36

Sophie (en ligne): Mais je l'aime!

22 h 36

Maude (en ligne): Je sais, ma chérie, mais ce n'est pas réciproque. Comme je ne veux pas te voir perdre ton temps plus longtemps, je préfère être honnête avec toi.

22 h 37

Lydia (en ligne): Tu penses vraiment qu'il ne l'aime pas?

22 h 37

Maude (en ligne): Je ne pense pas. Je suis sûre. C'est José qui me l'a dit. Je lui ai demandé d'investiguer pour savoir s'il y avait une possibilité que ça marche entre vous, mais il m'a dit que non, parce qu'Alex était intéressé par quelqu'un d'autre.

22 h 38

Sophie (en ligne): Qui ça?

22 h 38

Maude (en ligne): Je ne sais pas. Sûrement une fille d'une autre école. Alex a plein d'amis un peu partout.

22 h 39

Lydia (en ligne): C'est poche. Comment prends-tu la nouvelle, Soph?

22 h 40

Sophie (en ligne): Je suis vraiment sous le choc!

22 h 40

Maude (en ligne): Je comprends, mais dis-toi que c'est vraiment mieux que tu le saches maintenant. Comme ça, tu peux passer à autre chose.

22 h 41

Lydia (en ligne): Genre à un autre gars!

22 h 41

Sophie (en ligne): Mais je ne veux pas d'autres gars.

22 h 42

Maude (en ligne): Peut-être pas maintenant, mais ça va venir.

22 h 42

Lydia (en ligne): Et en attendant, tu peux te remonter le moral en passant une soirée de filles chez moi, samedi soir!

Sophie (en ligne): C'est vrai que ça va me faire du bien. Bon, je vous laisse. Je vais aller brailler un bon coup.

22 h 44

Maude (en ligne): Il ne mérite pas tes larmes, ma chérie.

22 h 44

Sophie (en ligne): T'es fine. ☺ Bonne nuit, les filles! Je vous aime!

Jeudi 25 avril, 17 h 36

Cher journal,

J'ai passé la journée à entendre Sophie se plaindre
sur son sort parce qu'Alex ne l'aime pas. Je sais
que c'est plate, mais ce n'est pas comme si elle
sortait avec lui depuis deux ans! Je la trouve
tellement intense, des fois. Après l'école, je suis
partie en quatrième vitesse question de ne pas
avoir à l'endurer plus longtemps.

À mon retour chez moi, j'ai eu l'heureuse surprise
de voir qu'Étincelle m'avait répondu!

*Bonjour, Valérie! J'ai bien ri en lisant ton
message. Tu es la première à me dire que j'ai
des étincelles dans les yeux! Mon surnom fait
plutôt référence au fait que je m'appelle Martin
Celia... Tin-Cel... Voilà! Pour le reste, je suis
content d'apprendre que tu aimes autant Paris.
J'ai encore de la famille en France. Je m'imagine
aussi souvent en Provence avec ma future*

épouse. Ça me fait chaud au cœur de voir que nous avons des rêves communs.

Pour être bien honnête avec toi, ça ne fait pas très longtemps que je suis sur ce site de rencontres, car j'ai horreur des ordinateurs. Je préfère de loin les contacts humains. Donc, que dirais-tu si on se parlait de vive voix? J'aimerais vraiment te rencontrer et poursuivre cette discussion autour d'un verre de vin. J'attends de tes nouvelles,
Martin

Ça alors! De la famille en France! Si ma carrière décolle vraiment, je sens que Martin pourrait m'aider à percer sur le Vieux Continent!

Pour m'assurer que ça fonctionne entre lui et ma mère, je dois songer à la meilleure stratégie pour leur rencontre. Voici mes options:

1. Je dis tout à ma mère et j'essaie de la convaincre de se pointer malgré tout au

rendez-vous que j'ai fixé avec Martin. La connaissant, j'ai toutefois peur de faire face à une opposition féroce et à un sermon interminable sur le fait d'avoir dépassé les limites en lui créant un faux compte.

2. Je ne lui dis rien et je m'arrange pour qu'elle se pointe au rendez-vous sans se douter de ce qui l'attend. Martin viendra aussitôt à sa rencontre et commencera à discuter avec elle. C'est alors que ma mère comprendra que je lui ai joué dans le dos, mais le fait que je ne sois pas devant elle lui permettra de se calmer avant de me parler entre quatre z'yeux. Cette stratégie comporte toutefois un risque important si ma mère quitte les lieux avant même de discuter avec Martin, faisant ainsi disparaître toutes mes chances d'avoir un petit pied-à-terre près de la tour Eiffel.

3. Je dis la vérité à Martin, ce qui risque de lui faire boycotter tout appareil technologique pour le reste de sa vie.

Plus j'y réfléchis, et plus je crois que la première option est la plus viable pour moi. En effet, je crois avoir plus de chances de faire entendre raison à ma mère qu'un pur inconnu rencontré dans un bar. Je veux toutefois fixer un rendez-vous à Martin avant de me confronter à son regard en furie, question de lui offrir une *date* clé en main.

Mais comme je ne veux pas que ma mère passe pour une femme qui n'a rien d'autre à faire dans la vie que d'accepter des invitations de dernière minute, je vais quand même attendre quelques jours avant de répondre à Martin. C'est toujours important de faire languir sa proie.

Maude xox

Vendredi 26 avril

20 h 09

Jeanne (en ligne): Maude?

20 h 10

Maude (en ligne): Salut! Ça tombe bien que tu sois là. José s'est fâché contre moi à l'école, et il est parti sans même me dire au revoir. J'essaie de le joindre depuis tantôt, mais il n'y a personne chez lui. Je suis en train de devenir folle. Que penses-tu que je devrais faire?

20 h 11

Jeanne (en ligne): Absolument rien. Si José est trop immature pour te parler et qu'il boude, laisse-le faire. Mais ce n'est pas de ça que je voulais te parler.

20 h 12

Maude (en ligne): Euh... OK. Qu'est-ce qui est plus urgent que ma crise avec José?

20 h 12

Jeanne (en ligne): Ton attitude avec Katherine. Après l'école, Sophie m'a dit que Lydia lui avait dit que tu lui avais dit de ne pas l'inviter demain pour notre soirée de filles. Je trouve ça super irrespectueux. Katherine est notre amie. Je ne vois pas pourquoi on la rejetterait.

20 h 13

Maude (en ligne): Parce qu'elle colle mon chum comme une sangsue. Ça m'énerve, et je n'ai pas envie de la voir.

20 h 13

Jeanne (en ligne): Kath et José sont amis depuis le début du secondaire, Maude. Tu n'as pas à être jalouse. En plus, elle sort avec Éloi.

20 h 14

Maude (en ligne): Ouais, mais ça ne l'empêche pas de passer tout son temps libre avec José. Je ne suis pas folle, Jeanne. Je vois bien qu'elle a un *kick* dessus!

20 h 14

Jeanne (en ligne): Moi, je pense que ce sont tes problèmes avec José qui te montent à la tête. Si tu sens qu'ils passent trop de temps ensemble, pourquoi t'en prends-tu à elle au lieu de confronter ton chum?

20 h 15

Maude (en ligne): Parce que José m'a déjà dit qu'il ne s'intéressait pas à elle et je le crois. C'est vraiment elle qui n'a pas l'air de comprendre le message.

20 h 16

Jeanne (en ligne): Si son attitude te paraît déplacée, tu devrais simplement lui en parler au lieu de monter tout le monde contre elle.

20 h 16

Maude (en ligne): OK, je lui en parlerai, mais pas demain. J'ai juste besoin d'une soirée de *break*. Peux-tu comprendre ça?

20 h 17

Jeanne (en ligne): Non, et c'est pour ça que je l'ai invitée. Sophie et Lydia sont influençables, mais je ne veux pas rejeter Kath à cause d'un truc entre elle et toi. Ce n'est pas de mes affaires.

20 h 18

Maude (en ligne): Merci pour la solidarité...

20 h 18

Jeanne (en ligne): Ça n'a rien à voir avec la solidarité, Maude. Je trouve ça injuste que tu m'impliques dans une chicane qui ne me concerne pas. Tu comprends?

20 h 19

Maude (en ligne): Ouais, ouais. Est-ce qu'on peut changer de sujet, maintenant? J'ai vraiment besoin de ton avis pour José.

20 h 20

Jeanne (en ligne): Laisse-le bouder dans son coin et change-toi les idées. Est-ce assez clair?

20 h 20

Maude (en ligne): Ouais, t'as sûrement raison. C'est juste vraiment pénible d'endurer qu'il me rejette comme ça.

20 h 21

Jeanne (en ligne): Si c'était Kath qui te boudait, qu'est-ce que tu ferais?

20 h 21

Maude (en ligne): Je l'ignorerais.

20 h 21

Jeanne (en ligne): Et Lydia? Ou Soph?

20 h 22

Maude (en ligne): Je les laisserais faire.

20 h 23

Jeanne (en ligne): Ben voilà ta réponse. Tu n'es vraiment pas du genre à te laisser marcher sur les pieds. Tu n'as pas à changer d'attitude parce qu'il s'agit de José Martinez. Tu as assez de caractère pour tenir bon! En plus, si tu vas toujours vers lui, il ne changera jamais d'attitude parce qu'il va s'attendre à ce que tu fasses les premiers pas.

20 h 23

Maude (en ligne): Comment une fille qui n'a pas de chum et qui ne veut rien savoir des relations peut-elle donner des conseils aussi brillants à propos des gars?

20 h 23

Jeanne (en ligne): Pas besoin de sortir avec eux pour les comprendre...

20 h 23

Maude (en ligne): Je vois ça! Bon, je te laisse! Ma mère a loué un film et elle m'attend pour le regarder.

20 h 24

Jeanne (en ligne): OK! On se voit demain chez Lydia... avec Katherine!

20 h 25

Maude (en ligne): Oui, maman. À demain! xox

Chapitre 4 :
Annie-Cruche

Lundi 29 avril, 16 h 46

Cher journal,

Je suis de retour chez mon père. Même si je dois endurer Marie-Gossante qui met sa musique (du rock pas bon) dans le piton, je pense que c'est mieux d'être ici que chez ma mère, puisqu'elle est en colère contre moi.

Samedi soir, j'ai écrit à Martin pour lui donner rendez-vous vendredi prochain dans un petit bistro du quartier. Il m'a répondu qu'il y serait sans faute. Hier matin au brunch, j'ai donc pris mon courage à deux mains pour tout avouer à ma mère.

Moi (en me servant un verre de jus d'orange): Maman?
Ma mère (en coupant des fruits): Oui?
Moi: As-tu quelque chose de prévu vendredi prochain?
Ma mère (en réfléchissant): Non, pas à mon souvenir.

Moi : Ça tombe bien parce que j'ai... quelque chose à te proposer.

Ma mère : N'oublie pas que tu es chez ton père, vendredi. Il voudra sûrement passer du temps avec toi, lui aussi.

Moi (d'un ton sarcastique) : Pour ça, il faudrait qu'il délaisse ses dossiers chéris.

Ma mère m'a jeté un regard de travers. Je sais qu'elle était curieuse de savoir ce qui me chicotait, mais qu'elle ne voulait pas pousser plus loin puisqu'il était question de mon père. Même si elle fait des efforts surhumains pour paraître détachée, je vois bien dans ses yeux que ça l'attriste chaque fois qu'on parle de lui. C'est pour ça que l'arrivée de Martin tombe à pic ; il est VRAIMENT temps qu'elle passe à autre chose.

Moi (en changeant de sujet) : De toute façon, je ne serai pas présente pour l'activité que je veux te suggérer.

Ma mère (en me regardant d'un drôle d'air) : T'es donc bien mystérieuse. C'est quoi, cette activité ?

Moi : Euh... Rien de trop compliqué. Simplement de prendre un verre dans un petit bistro près d'ici.

Ma mère : OK. Et pourquoi j'irais dans un bistro toute seule alors que je peux prendre un bon verre de vin ici avec une amie ?

Moi : En fait, tu ne serais pas seule dans le bistro.

Ma mère : Je me doute bien qu'il y aurait d'autres clients, mais je serais quand même seule à ma table.

Moi : Pas nécessairement.

Ma mère (en déposant un kiwi et en se tournant vers moi) : OK, Maude ! Je donne ma langue au chat. Je ne comprends rien à ce que tu dis. Peux-tu m'expliquer, s'il te plaît ?

Moi : OK. Mais si je te dis la vérité, il faut que tu me promettes de ne pas te fâcher.

Ma mère : Je ne promets rien du tout. Raconte.

J'ai pris une profonde inspiration et je me suis lancée.

Moi : OK. J'ai rencontré l'homme idéal pour toi. Je me suis arrangée pour que tu puisses le croiser dans un petit bistro, vendredi prochain.

Ma mère a cligné des yeux et m'a regardée sans rien dire.

Moi : Maman ? T'es vivante ?
Ma mère (en secouant la tête avec un air perdu) : Ouais... Je pense. C'est juste que je ne comprends pas très bien ce que tu es en train de me dire. Où est-ce que tu as rencontré cet << homme idéal >> ? Comment t'es-tu arrangée pour qu'il soit dans un bistro, vendredi prochain ? Tu l'as juste croisé dans la rue en le suppliant de se pointer sans savoir ce qui l'attendait ?

Elle commençait à perdre patience. Il fallait que je lui déballe mon sac avant qu'elle n'éclate.

Moi : Pas exactement. J'ai discuté avec lui... en ligne.
Ma mère (les yeux écarquillés) : MON DIEU, MAUDE ! T'es donc bien insouciante ! Tu ne peux pas *tchatter* avec des vieux sur Internet ! Il doit être malade dans sa tête pour s'intéresser à une fille de treize ans ! Je vais le dénoncer à la police, tu vas voir !

Elle s'est emparée du téléphone et j'ai couru vers elle pour essayer de la calmer.

Moi : Maman, attends avant de capoter! Il ne sait pas que j'ai treize ans! Il pense que j'en ai quarante-trois! Il n'est pas fou dans sa tête!

Ma mère m'a regardée droit dans les yeux et elle est devenue rouge, puis écarlate. Je voyais presque la fumée qui lui sortait par les oreilles.

Ma mère : MAUDE MÉNARD-BÉRUBÉ! QU'EST-CE QUE TU AS FAIT?
Moi (en prenant une voix sûre de moi, comme si je n'avais rien à me reprocher) : Comme tu passes beaucoup de temps à travailler et à t'occuper de ma carrière, je me suis dit que je te donnerais un petit coup de pouce en t'inscrivant sur un site de rencontres, et c'est là que j'ai connu Étincelle. Ou Martin de son vrai nom. Il est parfait pour toi, maman! C'est pour ça que je lui ai donné rendez-vous, vendredi prochain!

Ma mère : PARDON ? Tu m'as inscrite sur un site de rencontres sans me consulter ? Mais réalises-tu à quel point ça n'a aucun sens ? Maude, tu aurais pu tomber sur un fou !

Moi : Maman, arrête de paranoïer. Je n'ai donné ton numéro d'assurance sociale ni ton adresse à personne ! J'ai juste essayé de te trouver un chum.

Ma mère : Et qui t'a dit que je voulais un chum ? Je suis très bien toute seule, et j'aimerais bien que tu ne te mêles pas de MES affaires. Je n'en reviens pas que tu aies fait ça. Tu as vraiment dépassé les bornes, Maude.

Même si une partie de moi s'attendait à ce qu'elle réagisse mal et savait qu'elle avait raison de s'emporter, une autre était complètement outrée par ses propos et n'était plus capable de se retenir.

Moi (en laissant la colère m'emporter) : Moi, maman. C'est moi qui ai décidé que t'avais besoin d'un chum ! Et tu sais pourquoi ? Parce que t'as l'air déprimé depuis le divorce, et que ce n'est pas normal que tu fasses une mine de chien battu chaque fois qu'on parle de papa. Il est vraiment temps que tu passes à autre chose. Comme tu n'es pas capable de le faire toi-même, j'ai décidé de t'aider à y arriver. Je m'en fous que tu trouves que j'aie dépassé les limites! Je l'ai fait parce que je voulais te voir heureuse.

J'ai fini ma phrase en pleurant. Ma mère était blême. Elle me regardait comme si je venais de lui annoncer que j'étais une extraterrestre. J'ai remarqué que mon cœur battait à toute vitesse et que mes mains tremblaient. C'est la première fois que je lui parlais de cette façon.

Comme je n'avais plus rien à ajouter et que je n'avais pas le goût qu'elle continue à me sermonner, je me suis enfermée dans ma chambre et j'ai fait ma valise pour aller chez mon père. Je lui ai téléphoné pour lui demander de venir me chercher tout de suite. Il m'a appris qu'il était coincé dans un cocktail de je-sais-pas-quoi, et que c'est encore Marie-Gossante qui allait faire son travail. Arg. Ma journée allait de mal en pis.

J'ai entendu le klaxon environ une demi-heure plus tard. Je suis sortie de la maison sans même dire au revoir à ma mère.

Je sais que je n'ai pas mis de gants blancs et que je l'ai peut-être vexée, mais j'en ai assez de marcher sur des œufs et de voir sa mine triste. C'est trop déprimant. Je me suis par ailleurs fait la promesse que quoi qu'il arrive, je n'allais jamais me laisser abattre comme ça. Je ne finirai pas vieille fille comme elle.

Dans l'auto, Marie-Gossante m'a proposé de faire des courses au Marché Jean-Talon ou de magasiner au Centre Rockland, mais je lui ai fait croire que j'avais mes règles, que j'avais mal au ventre et que je préférais rentrer à la maison.

Marie-Gossante (en me regardant de façon trop intense) : Je comprends. Ce n'est pas toujours facile d'être une femme.

Misère.

J'ai passé le reste de la journée à faire mes devoirs et à boucler ma composition pour le concours de la commission scolaire. J'étais prête à tout pour me changer les idées.

Ce matin, nous avons finalement rendu nos textes qui seront évalués par les profs cette semaine. Je pense vraiment que j'ai une bonne chance d'être sélectionnée.

La bonne nouvelle de la journée, c'est que j'ai appris que j'avais obtenu 83 % à mon dernier examen de maths. Ce n'est pas les 98 % que j'espérais, mais c'est assez fort pour faire remonter ma moyenne et déstresser ma mère.

Comme Marie-Gossante a un souper de filles ce soir, je vais profiter de son absence pour cuisiner des pâtes au pesto et manger en tête-à-tête avec mon père, même s'il rentre tard. Je pense que sa blonde va faire une syncope en nous voyant

manger des féculents après 20 h! Tant mieux!
J'adore quand elle perd ses moyens!

Maude xox

Jeudi 2 mai

20 h 29

José (en ligne): *Holà, mamacita!* Ma mère m'a dit que tu m'avais appelé?

20 h 30

Maude (en ligne): Ouais, y a genre deux heures. T'étais où?

20 h 31

José (en ligne): Je suis allé jouer au basket avec les gars de l'école.

20 h 31

Maude (en ligne): Depuis quand tu joues au basket?

20 h 31

José (en ligne): Depuis toujours.

20 h 32

Maude (en ligne): C'est drôle. Ça fait plus qu'un an qu'on sort ensemble et je ne connaissais pas ta passion pour ce sport.

20 h 32

José (en ligne): Il faut croire que tu ne connais pas tout de moi. Qu'est-ce que tu voulais?

20 h 33

Maude (en ligne): Pas besoin d'être bête.

20 h 34

José (en ligne): Tu ne peux pas savoir si je suis bête sur un ordinateur.

20 h 34

Maude (en ligne): Je te connais assez pour le sentir.

20 h 34

José (en ligne): Je suis bête parce que tu m'as mis de mauvaise humeur avec ton interrogatoire.

20 h 35

Maude (en ligne): Je m'excuse. Je ne suis pas dans mon assiette cette semaine.

20 h 35

José (en ligne): Ce n'est pas une raison pour me tomber dessus!

20 h 36

Maude (en ligne): Je me suis déjà excusée, mon amour. Est-ce qu'on peut juste passer à autre chose, s'il te plaît? J'ai envie que tu me changes les idées.

20 h 37

José (en ligne): Bof, ça ne me tente pas vraiment de *tchatter*. C'est mieux qu'on se parle demain.

Maude (en ligne): S'il te plaît, chéri! Tu le vois bien que j'ai besoin de toi.

20 h 37

José (en ligne): Besoin de moi pour quoi? Pour passer ta frustration parce que ton ongle est cassé?

20 h 38

Maude (en ligne): J'ai des soucis pas mal plus gros que mes ongles, tu sauras! Premièrement, je me suis chicanée avec ma mère. Deuxièmement, je suis super nerveuse à propos du concours et troisièmement, mon père n'est même pas encore rentré et sa blonde est dans le salon, alors je suis coincée dans ma chambre.

20 h 39

José (en ligne): Ouais, mais je ne suis pas responsable de ces stress.

20 h 39

Maude (en ligne): Donc tu ne peux pas être là pour moi?

20 h 40

José (en ligne): J'aurais juste envie que ça ne soit pas lourd, pour une fois. Est-ce qu'on peut juste se faire du *fun* sans que tout soit compliqué?

20 h 41

Maude (en ligne): De quoi tu parles? De moi ou de la relation?

20 h 41

José (en ligne): Des deux. Je te trouve *rushante*. T'as été tendue toute la semaine, et on n'est jamais capables de juste se faire du *fun*.

20 h 42

Maude (en ligne): Ce n'est pas vrai! On rit ensemble! Pourquoi tu dis ça?

20 h 42

José (en ligne): Parce que c'est ce que je pense.

20 h 43

Maude (en ligne): Ben là! Ce n'est pas super gentil.

20 h 43

José (en ligne): Ce n'est peut-être pas gentil, mais c'est honnête. Bon, la troisième période vient de commencer, et j'aimerais ça voir les Canadiens gagner. On se parle demain, OK?

20 h 44

Maude (en ligne): Je ne veux pas qu'on se laisse comme ça!

José (en ligne): Ça ne me tente pas d'être hypocrite, *babe*. Je sens qu'on n'ira nulle part, ce soir. Laisse-moi regarder la partie, OK? Je te jure que ça va me mettre de meilleure humeur.

20 h 46

Maude (en ligne): OK. Mais est-ce qu'on peut au moins dîner ensemble demain midi? Ça me ferait du bien de te coller.

20 h 46

José (en ligne): Je ne peux pas. Kath doit m'aider en maths. J'ai un exam en après-midi.

20 h 47

Maude (en ligne): Ben là! Je peux t'aider, moi!

20 h 48

José (en ligne): *Babe*, t'es encore plus poche que moi en maths!

20 h 49

Maude (en ligne): Ce n'est pas vrai! J'ai eu une super bonne note dans le dernier exam!

20 h 50

José (en ligne): Ouais, mais Kath, c'est une bolée naturelle, et on est dans la même classe. C'est plus simple d'étudier avec elle.

20 h 51

Maude (en ligne): Fais comme tu veux. À demain.

Maude s'est déconnectée

Dimanche 5 mai, 14 h 24

Cher journal,

Je viens d'avoir une conversation intense avec ma mère, et les choses vont mieux entre nous. Elle est venue me chercher chez mon père vers midi. Dès mon entrée dans la voiture, j'ai remarqué que l'atmosphère était un peu tendue. Même si ma colère s'était estompée au cours de la semaine, je n'avais pas envie de faire les premiers pas.

Heureusement, c'est elle qui a ouvert le bal.

Ma mère (en me regardant du coin de l'œil) : T'as passé une bonne semaine ?
Moi : Hum, hum. Correct.
Ma mère (d'un ton un peu nerveux) : Est-ce que ton... père travaille encore beaucoup ? Avez-vous passé un peu de temps ensemble ?

Je me suis tournée vers elle avec un air surpris. Même si je lui lance parfois des pointes et que je lui fais comprendre indirectement que je suis tannée que papa soit plus passionné par son travail que par moi, c'est la première fois qu'elle aborde directement le sujet.

Moi : J'aimerais te dire qu'il prend des pauses pour être avec moi, mais ce n'est pas le cas. Je pense que je l'ai vu un gros total de six heures cette semaine.
Ma mère (en fronçant les sourcils) : Incluant la fin de semaine ?
Moi : Ouais. Il est rentré tard vendredi. Et samedi, il avait un tournoi de golf.
Ma mère : Ben là ! Ça veut dire qu'il te laisse tout le temps seule ?

Je me suis mordu la lèvre. Même si maman sait très bien que papa habite avec Marie-Gossante, on ne fait jamais mention de son existence. C'est tabou. Je me suis dit qu'avec la dispute qu'on avait eue la semaine dernière, le moment était bien choisi pour crever l'abcès.

Moi : Non. Je pense qu'il croit que j'ai du *fun* à
passer du temps avec sa... blonde.

À ma grande surprise, ma mère n'a pas bronché.

Ma mère : Oh. Et ce n'est pas le cas ?
Moi : Si je te dis que je la surnomme << Marie-
Gossante >>, est-ce que ça va répondre à ta
question ?

Ma mère est restée silencieuse pendant quelques
secondes, puis elle m'a regardée avant d'éclater de
rire. Je me suis jointe à elle. Ça me faisait du bien
de retrouver notre complicité.

Ma mère (en essayant de retrouver son calme) :
Je sais que je ne devrais pas te dire ça, mais ça
me fait tellement plaisir que tu l'appelles comme
ça !
Moi : Tu ne peux même pas imaginer à quel point
son surnom lui va comme un gant !

Ma mère est restée songeuse un moment.

Ma mère : Pour en revenir à ton père, est-ce que tu voudrais que je lui en parle ?

Moi : Non. C'est gentil, mais je préfère gérer ça à ma façon.

Ma mère : Comme tu veux.

On a roulé en silence pendant quelques instants.

Ma mère : Est-ce que tu as faim ?

Moi : Oui.

Ma mère : On va bruncher ?

Moi : OK !

Nous sommes allées au resto de déjeuners près de chez nous. Ma mère en a profité pour revenir sur notre dispute de la semaine dernière.

Ma mère : Je t'avoue que j'ai passé une semaine difficile.

Moi : Moi aussi.

Ma mère : Je n'aime pas me chicaner avec toi.

Moi : Moi non plus.

Ma mère : J'étais tellement en colère...

J'ai mangé une patate en la regardant du coin de l'œil. Je sentais qu'elle avait envie de me sermonner.

Ma mère : Je vais être honnête avec toi, ma chérie. Je trouve que tu as vraiment été trop loin.
Moi (en soupirant) : Je sais.
Ma mère : Est-ce que tu as effacé mon profil ?
Moi : Ouais. Pauvre Martin. Il s'est fait poser un lapin.
Ma mère : Qui ça ?
Moi : Étincelle ! L'homme de ta vie.

Ma mère s'est contentée de pousser un soupir.

Moi (d'une voix à peine audible) : Je sais que j'ai été un peu intense, mais je suis tannée te voir triste.
Ma mère : Je comprends.
Moi (en levant les yeux vers elle, surprise) : Pour vrai ?
Ma mère : Ouais. J'ai beaucoup réfléchi cette semaine. Je me suis dit que pour que tu fasses une chose pareille, c'est sûrement parce que j'avais une face d'enterrement. Et même si je suis encore

outrée par ton geste, je tiens à ce que tu saches que tes paroles ne sont pas tombées dans l'oreille d'une sourde.

Moi : Ça veut dire quoi, ça ?

Ma mère : Ça veut dire que je ne veux pas que tu me perçoives comme une personne malheureuse.

Moi : Et moi, je ne veux pas que tu sois malheureuse. Ni que tu restes seule toute ta vie. Le matin quand j'arrive à l'école, ça me fait tout le temps sourire de voir José et de le serrer dans mes bras. Je pense que ça te ferait du bien de vivre ça, toi aussi.

Ma mère : J'avoue que depuis ton père, j'ai un peu mis une croix sur les relations avec les hommes.

Moi : Ils ne sont pas tous comme lui, maman.

Ma mère : Ton père est une bonne personne, Maude. Je ne veux pas que ce qui s'est passé entre lui et moi affecte votre relation.

Moi : Inquiète-toi pas. Je suis assez grande pour comprendre que même s'il est poche comme chum et qu'il n'est pas le père le plus présent au monde, il a quand même des qualités. Ce que je voulais dire, c'est que ce ne sont pas tous les hommes de la

Terre qui vont te laisser tomber pour des cruches.

Ma mère (en me souriant) : Quand est-ce que tu es devenue mature comme ça, toi ?

J'ai souri à mon tour et nous avons mangé en silence pendant quelques secondes.

Ma mère : Bref, je voulais que tu saches que tu m'avais fait réfléchir et que tu m'as un peu ouvert les yeux.

Moi (remplie d'espoir) : Tu veux un chum ?

Ma mère : Non ! Je ne suis pas en train de t'annoncer que je veux un conjoint, ni même que j'ai envie de tomber en amour. Je dis simplement que tu m'as fait réaliser qu'il était temps que je pense un peu plus à moi et à mon bonheur.

Moi : OK.

Ma mère : En d'autres mots, sache que malgré notre chicane et le fait que tu sois allée trop loin, je suis contente que tu aies été honnête avec moi. Tu m'as dit des choses que j'avais vraiment besoin d'entendre.

Moi (en lui souriant) : Ça m'a fait plaisir.

Nous sommes ensuite rentrées à la maison. Comme je me sentais de meilleure humeur, j'ai téléphoné à José pour me réconcilier avec lui. Ça a été tendu entre nous presque toute la semaine, et j'avais envie d'enterrer la hache de guerre, une fois pour toutes.

Malheureusement, il n'y avait aucune réponse chez lui. Je sais que ça sonne un peu paranoïaque, mais une partie de moi s'est imaginé qu'il était avec une autre fille (pour ne pas dire Katherine). J'ai donc appelé chez elle pour en avoir le cœur net. Sa mère m'a dit qu'elle passait la journée avec Éloi. Me voilà donc rassurée!

Maude xox

À : Queenbee@mail.com, BellaLydia@mail.com,
Sophie11@mail.com,
Katherinepoupoune@mail.com
De : Jeanneditoui@mail.com
Date : Lundi 6 mai, 19 h 11
Objet : Party pour ma fête !

Salut, les filles !

Je viens de demander la permission à mes parents de faire un party chez moi samedi soir pour ma fête, et ils ont dit oui ! Je pensais inviter une vingtaine de personnes. Je vais créer un événement ce soir sur Facebook, mais je voulais vous en parler tout de suite pour que vous le sachiez. Quatorze ans, ça se célèbre avec mes *bests* !

Jeanne xxx

Mardi 7 mai, 17 h 54

Ma vie va mal. J'ai envie de pleurer ou de crier
pour exprimer ma frustration.

Tout a commencé hier soir quand Jeanne nous
a appris qu'elle organisait un party samedi pour
sa fête. Comme ça tombe la fin de semaine
que je suis chez ma mère et qu'elle m'accorde
généralement des permissions sans rouspéter, je
croyais évidemment que c'était dans la poche.

Moi (en fouillant dans le garde-manger à la
recherche de quelque chose de sucré): Maman?
Pourquoi il n'y a pas de biscuits?
Ma mère: J'ai décidé qu'il était temps de mieux
nous alimenter. J'ai donc dit adieu à tous les trucs
qui contiennent des substances chimiques.
Moi (en refermant la porte d'un coup sec): Ah,
non! Tu ne vas pas me faire le coup du régime
sans bonheur, toi aussi?
Ma mère: Pourquoi? Qui d'autre t'impose ça?

Hum. Quoi de plus efficace que d'impliquer Marie-Pier pour la faire changer d'idée!

Moi : Marie-Gossante, évidemment.

Ma mère a plissé les yeux. Je voyais qu'elle luttait intérieurement pour ne pas éclater de rire.

Ma mère : OK. Je vais réintégrer les biscuits. Après tout, nous n'avons qu'une seule vie à vivre.

Victoire!

Moi : Merci, maman! Comme je dois manger des cochonneries en cachette chez papa, je n'ai pas envie de le faire ici aussi.

Je me suis finalement rabattue sur une barre tendre.

Moi (en prenant une bouchée) : En passant, je vais chez Jeanne, samedi soir. Elle organise une petite fête pour son anniversaire.

Ma mère : Oh. Je vois que ton père ne t'a pas encore contactée ?

Moi : Non. Pourquoi ?

Ma mère : Je crois qu'il avait quelque chose à te proposer.

Moi : Comment tu sais ça ? Tu es devenue amie avec papa ?

Ma mère : Il n'est pas mon << ami >>, mais c'est évident que ton existence nous pousse à être en contact de temps à autre. Bref, il m'a envoyé un courriel pour me demander un petit service, et comme je n'y voyais pas d'inconvénient, j'ai accepté. J'imagine qu'il va t'appeler bientôt.

Moi : OK. Et c'est quoi le rapport avec la fête de Jeanne ?

Ma mère : Je ne veux pas t'en dire plus. C'est à ton père à t'en parler.

Moi : Maman ! Dis-le-moi ! Si j'ai un empêchement samedi, je vais capoter. Je ne peux pas rater ce party-là.

Ma mère : Ce n'est pas la fin du monde si tu rates un party. D'ailleurs, tu as intérêt à faire une croix dessus tout de suite, car tu ne seras pas en ville en fin de semaine.

Moi : QUOI ? C'est quoi, l'affaire ? C'est ma fin de semaine chez toi ! Dis-moi ce qui se passe !

Ma mère : OK, mais ne te fâche pas.

Moi : Dis-moi !

Ma mère : Ton père m'a écrit hier pour me demander si je pouvais te garder deux semaines de suite cet été parce qu'il partait en vacances à Saint-Martin. J'ai répondu que ça me faisait toujours plaisir de t'avoir chez moi, mais que je lui suggérais tout de même de te consacrer un peu plus de temps, parce que je sentais qu'il te négligeait ces temps-ci...

Moi : MAMAN ! Je t'avais dit de ne rien lui dire !

Ma mère : Je te jure que je ne lui ai pas dit que c'était toi qui m'en avais parlé ! J'ai simplement agi comme une mère qui est un peu inquiète et qui voit que sa fille est triste. C'est mon rôle, après tout.

Moi : Je ne suis pas une enfant. Je suis capable de mener mes batailles toute seule !

Ma mère : Désolée de te l'apprendre, ma chouette, mais tu es encore une enfant. Bref, ton père s'est évidemment senti coupable. Il m'a donc répondu quelques instants plus tard pour me dire qu'il avait justement réservé un chalet sur le bord du lac Memphrémagog la fin de semaine prochaine. Il m'a demandé si je voulais bien échanger mon week-end avec le sien pour que tu puisses te joindre à lui.

J'ai aussitôt senti une boule dans mon ventre. J'étais en colère qu'ils aient pris une telle décision sans me consulter. L'idée de me retrouver coincée dans un chalet en bois rond avec Marie-Gossante qui parle de yoga et de seitan me donnait la nausée. En plus, je ne voulais pas rater le party de Jeanne. J'avais envie de fêter avec mes amies, et surtout, j'avais besoin de passer une soirée de qualité avec mon chum.

Moi : Tu n'aurais jamais dû accepter son offre ! Je n'ai pas envie d'y aller ! Je veux rester ici !
Ma mère : Désolée, ma chérie, mais c'est impossible.
Moi : Il n'y a rien d'impossible. Je vais appeler papa pour lui dire. Crois-moi, je suis certaine qu'il se fera un plaisir de passer une fin de semaine sans moi !

J'ai signalé le numéro de mon père et c'est Marie-Gossante qui a répondu.

MG (d'un ton enjoué et extrêmement irritant) : Oui, allo ?

Moi (d'un ton froid) : Peux-tu me passer mon père ?

MG : Maudeeeee ! Je suis tellement contente d'entendre ta voix !

Moi : OK. Je n'ai pas le temps de jaser. Peux-tu me passer mon père, s'il te plaît ?

MG : C'est un miracle que tu arrives à le coincer ici ! Attends-moi deux secondes !

Je me suis mise à battre du pied.

Mon père : Salut, ma chérie ! J'allais justement t'appeler !

Moi : Ouais, je sais. J'ai demandé à maman la permission d'aller dans un party en fin de semaine, elle a été forcée de me dévoiler ton plan. C'est super gentil d'avoir pensé à moi, papa, mais je ne pourrai pas me joindre à vous.

Mon père : Es-tu malade ?

Moi : Non. Pourquoi ?

Mon père : Parce que c'est la seule raison qui pourrait justifier ton absence.

Moi : OK, d'abord ! Je suis malade. J'ai... des problèmes de fille.

Mon père : N'essaie pas de me manipuler avec tes histoires de règles. Tu viens, et un point c'est tout.

J'étais déstabilisée. Je n'ai pas l'habitude de faire face à un père aussi autoritaire.

Moi : Mais papa ! C'est la fête de Jeanne ! Je ne peux pas rater ça !

Mon père : Je suis sûre qu'elle va comprendre. Je passe te prendre vendredi vers 17 h. Tu apporteras ton maillot ; il y a un spa au chalet.

C'est au moins ça.

J'ai raccroché en maugréant. J'ai appelé Jeanne pour lui annoncer la mauvaise nouvelle et pour la supplier de garder un œil sur José. Ma demande a eu l'air de lui taper sur les nerfs. Je ne comprends pas quel est le problème; ce n'est pas comme si ça allait lui demander des tonnes d'efforts.

Ce matin en arrivant à l'école, j'étais encore irritée par le fait de m'évader dans le pays des maringouins avec Marie-Gossante. Sophie est venue me rejoindre à mon casier alors que je ramassais mes livres.

Sophie : Salut, *bella* !

Moi (d'un air bête) : Hum. Salut.

Sophie : Oh, oh. Je vois que tu as déjà appris la mauvaise nouvelle ?

Moi : Tu parles sûrement du fait que je dois rater le party de Jeanne pour me taper une fin de semaine avec mon père et sa blonde ?

Sophie : Euh. Non... Je parle des résultats du concours d'écriture. La liste des gagnants a été affichée sur le babillard de la grande sal...

Je ne lui ai pas laissé le temps de terminer sa phrase. J'ai fermé mon casier d'un coup sec et j'ai couru jusqu'au babillard.

Voici la liste des textes sélectionnés pour le
concours de la commission scolaire :
Première secondaire : << Dans le monde des
extraterrestres >>, par Yasmine Chen
Deuxième secondaire : << J'ai quitté mon pays >>,
par Annie-Claude Bordeleau

J'ai cligné des yeux à quelques reprises. J'avais de
la difficulté à assimiler l'information. J'avais perdu,
et c'est Annie-Claude qui avait remporté le premier
prix et la possibilité de se rendre jusqu'en finale de
la commission scolaire.

Des cris autour de moi m'ont ramenée sur Terre.
Annie-Claude festoyait avec ses copains ratés du
journal étudiant. Je suis passée près d'elle et j'ai
pris soin de la bousculer. Elle a perdu pied et m'a
regardée d'un drôle d'air.

Moi : Excuse-moi, Annie-Chose. Tu es tellement
invisible que je ne t'avais pas vue.

J'ai rejoint Lydia et Sophie près de la cafétéria.

Lydia : Désolée, Maude. Tu méritais vraiment le premier prix.

Moi : Je sais. Tout est de la faute d'Annie-Cruche. Croyez-moi : je vais lui faire payer cette injustice.

Sophie : Oh! Et comment comptes-tu t'y prendre?

Moi (en entrant dans le cours de maths) : Je ne dévoile jamais mes secrets.

Comme Annie-Claude est dans ma classe, je n'ai pas eu à patienter très longtemps avant de mettre mon plan à exécution. Le cours a commencé, et j'ai levé ma main.

Le prof : Oui, Maude?

Moi : Monsieur, je tiens vraiment à être attentive puisque je veux absolument remonter ma moyenne, mais Annie-Claude n'arrête pas de parler et ça m'empêche de me concentrer.

Le prof (d'un air un peu confus) : Oh... Je n'avais pas entendu. Euh. Annie-Claude, peux-tu rester silencieuse, s'il te plaît?

Annie-Claude : Je n'ai pas dit un mot, monsieur.

Environ cinq minutes plus tard, j'ai levé la main
à nouveau en m'efforçant de prendre un air
exaspéré.

Le prof : Que se passe-t-il, Maude ?
Moi : Monsieur, je suis désolée de vous interrompre
encore une fois, mais Annie-Claude me dérange
vraiment.
Annie-Claude : Quoi ? Je n'ai rien dit.
Le prof : Tut-tut ! Pourquoi Maude inventerait-elle
une chose pareille ?
Éric : Parce qu'elle est l'incarnation du diable ?
Maude : Qui t'a sifflé, le roi des *nerds* ? Tu es
encore triste parce que je t'ai rejeté l'année
dernière, mais il est temps de t'en remettre !
D'ailleurs, pourquoi tu n'essaies pas plutôt de jeter
ton dévolu sur Annie-Cruche ? Il me semble que
vous formeriez un beau couple !

La classe s'est mise à siffler.

Le prof : Ça suffit ! Je ne veux plus entendre un
seul mot ! Sinon, je vous envoie chez le directeur.

J'ai envoyé un petit sourire satisfait à Annie-Claude et je suis restée calme pendant le reste du cours. Je suis toutefois revenue en force à l'heure du lunch en lui lançant des framboises et en me moquant d'elle devant tout le monde. Je me sentais tellement humiliée par ma défaite que j'étais prête à tout pour me venger.

Moi : Annie-Claude mange la bouche ouverte. C'est dégueulasse !

Jeanne : Pourquoi tu t'en prends à elle, tout à coup ?

Sophie : Parce qu'elle a gagné le concours et qu'elle a volé le premier prix à Maude.

Jeanne : Euh. Si elle a gagné, c'est sûrement parce que son texte était meilleur, non ? Je suis désolée que tu aies perdu, Maude, mais je trouve ça un peu bas que tu t'acharnes sur son cas.

Moi : Ça suffit, Judas ! Je n'ai pas besoin que tu me fasses la morale !

José est arrivé et a interrompu notre petite dispute.

Moi : Salut, chéri ! Savais-tu qu'Annie-Chose était amoureuse de toi ?

José : Pfff! Tu me niaises?

Jeanne : Maude! Arrête ça!

Moi : Ben quoi? Je ne vais pas laisser toutes les *nerds* de l'école courir après mon chum sans rien dire! Chéri, pourrais-tu lui faire comprendre que tu ne l'aimes pas, s'il te plaît? C'est un peu humiliant pour moi de savoir qu'elle croit avoir des chances avec toi.

José (en criant en direction d'Annie-Claude) : Hey! Annie-Chose! Paraît que tu tripes sur moi, mais il va falloir que tu comprennes que j'ai une blonde!

La moitié de la cafétéria s'est tournée vers elle et s'est mise à rire. Annie-Claude est devenue rouge comme une tomate. J'en ai profité pour saisir José par le collet et pour l'embrasser passionnément, question de lui clouer le bec une fois pour toutes.

Jeanne (en lançant sa croûte de sandwich dans sa boîte à lunch) : Franchement! Vous n'avez pas d'allure! Annie-Claude n'a rien fait pour mériter ça!

José : Moi, je n'ai rien à voir là-dedans. Je voulais juste lui faire comprendre que je ne suis pas

intéressé. Bon, je vous laisse. Alex m'attend au gym.
À plus!

Il m'a embrassée en vitesse et il est parti.

Jeanne : Je persiste à dire que ça n'a pas de sens
de traiter les gens comme ça.
Moi : C'est beau, Jeanne. J'ai déjà entendu ton opinion.
J'ai compris que tu prenais la défense de la rejet et
que tu ne voulais rien faire pour aider mon couple.
Jeanne : De quoi tu parles?
Moi : Tu n'es même pas capable de surveiller José
quand je ne suis pas là!
Jeanne : Non! C'est ma fête, Maude, et j'ai autre
chose à faire que d'espionner ton chum.
Katherine : Je peux m'en occuper, si tu veux! Éloi
ne peut pas venir samedi, alors je n'aurai rien
d'autre à faire.

J'ai senti mon pouls s'accélérer. Non seulement
je ratais une occasion de passer du temps avec
José, mais j'apprenais en plus que la fille dont je me
méfie le plus aura le champ libre pour le séduire?

Moi (d'un ton sec) : Ça va aller, Katherine. Je n'ai pas besoin de ton aide.

J'ai ramassé mes affaires et je me suis levée. Sophie et Lydia m'ont suivie. Heureusement que je peux compter sur elles pour me soutenir.

J'ai réussi à garder mon sang-froid et à me changer les idées pendant le reste de l'après-midi en achalant Annie-Claude et sa gang, mais quand je suis rentrée à la maison, le poids de la défaite m'est tombé dessus comme une tonne de briques.

J'ai une boule dans la gorge et je suis en colère. Même si j'ai crié haut et fort qu'Annie-Claude ne méritait pas sa victoire, je lis souvent ses articles dans le journal étudiant et je sais qu'elle est bonne. Ce qui me gosse évidemment au plus haut point.

Des fois, j'ai l'impression que je ne me démarque dans aucun domaine. Je n'ai pas de talents particuliers. Ma mère a beau me répéter que je suis jolie, ça ne me fait pas décrocher de contrats et ça ne me rend pas célèbre pour autant. Quand je pense à tout ça, j'ai le goût de me recroqueviller dans mon lit ou de me métamorphoser en Cara Delevingne.

Je te laisse ; je vais aller regarder la télé pour essayer de faire passer mon cafard.

Maude

À : Queenbee@mail.com
De : Sophie11@mail.com
Date : Mercredi 8 mai, 17 h 11
Objet : Coucou !

Salut, pitoune !

J'ai appelé chez toi, mais il n'y avait personne. J'espère donc que tu prendras ce courriel avant demain ! J'ai un exposé oral en espagnol et je dois parler du Mexique, alors je me demandais si tu pouvais m'apporter le drapeau que tu avais acheté à Varadero ? Je pense que le prof va me donner plus de points si j'ai des accessoires !

En passant, j'ai trouvé ça trop drôle que tu sois allée raconter à Jonathan, le gars vraiment *cute* de secondaire 4, que Annie-Claude était follement amoureuse de lui ! Vas-tu vraiment lui écrire une fausse lettre d'amour ? C'est quoi ton plan ? En tout cas, elle va comprendre qu'il vaut mieux ne pas se mettre Maude Ménard-Bérubé à dos. ☺

Love !
Sophie

À : Sophie11@mail.com
De : Queenbee@mail.com
Date : Mercredi 8 mai, 20 h 34
Objet : Re : Coucou !

Salut !

J'étais partie manger dans un super bon resto de sushis avec ma mère pour célébrer mes derniers succès. Elle a parlé à mon agente aujourd'hui et elle est certaine que ma dernière campagne de pub poussera d'autres compagnies à m'engager. Avec un peu de chance, tu pourras voir mon visage un peu partout d'ici Noël !

Pour ton oral, je ne crois pas que mon drapeau te vienne en aide puisque Varadero, c'est à Cuba, et non au Mexique. Ce sont deux pays où l'on parle espagnol, mais l'un n'a rien à voir avec l'autre. Je crois toutefois que ma mère a encore une conserve de cactus comestibles qu'elle a rapportée de son dernier voyage à Tulum. Si je la trouve, je te l'apporterai.

Pour ce qui est d'Annie-Cruche, j'ai repensé à ça. Je crois que je laisserai simplement une petite note sur le casier de Jonathan demain matin, question que tout le monde puisse la lire. Voici ce que j'ai pensé écrire :

Salut, Jo !

Je voulais juste confirmer la rumeur et te dire que je t'aime. Je n'arrête pas de penser à toi. Je sais que tu me trouves peut-être

un peu jeune, mais je suis déniaisée. Si on sort ensemble, je serais
même prête à... te tenir la main et t'écrire de beaux poèmes.

Annie-Claude Bordeleau

Pas pire, hein ?

Maude xox

À : Queenbee@mail.com
De : Sophie11@mail.com
Date : Mercredi 8 mai, 20 h 39
Objet : Re : Re : Coucou !

T'es trop forte !
Soph xox

Jeudi 9 mai

18 h 29

Maude (en ligne): Salut, mon amour! Qu'est-ce que tu fais?

18 h 30

José (en ligne): J'essaie de finir le roman pour le cours de français. C'est plate. Toi?

18 h 30

Maude (en ligne): Je prépare ma valise pour demain... Arg. Ça m'énerve tellement de devoir rater le party de Jeanne pour passer une fin de semaine avec mon père et sa nunuche.

18 h 31

José (en ligne): Il va y avoir d'autres partys, *babe*. Et je suis sûr que ta fin de semaine va être moins plate que tu le penses. Tu ne m'as pas dit qu'il y avait un spa, au chalet que ton père a loué? C'est ton genre, il me semble.

18 h 32

Maude (en ligne): Ouais, mais Marie-Pier n'est pas «mon genre». J'aurais aimé profiter de la fête de Jeanne pour me coller contre toi. Il me semble qu'on se voit moins, ces temps-ci... ☹ Est-ce que je vais te manquer, au moins?

18 h 33

José (en ligne): Ben oui. Tu le sais bien.

18 h 34

Maude (en ligne): Est-ce que tu vas être sage?

18 h 34

José (en ligne): Ne recommence pas avec ta paranoïa, s'il te plaît. Ça me gosse quand tu deviens contrôlante.

18 h 35

Maude (en ligne): Ben, là! Quand je vais dans un party toute seule, tu deviens *full* parano, toi aussi! Tu devrais me comprendre.

18 h 36

José (en ligne): Ouais, mais c'est différent. Tu sais que tu peux me faire confiance.

18 h 36

Maude (en ligne): Ce n'est pas à toi que je ne fais pas confiance... C'est à toutes les *losers* qui te tournent autour.

18 h 37

José (en ligne): Relaxe, *babe*. Je vais juste là pour *chiller* avec mes amis.

18 h 37

Maude (en ligne): OK. Ça me rassure!

18 h 38

José (en ligne): Bon, il va falloir que je te laisse. Ma mère me crie après pour que je mette la table.

18 h 39

Maude (en ligne): OK ! Bon souper, chéri ! JTM !

18 h 40

José (en ligne): *Te quiero !*

Chapitre 5 :
Raz de marée

Samedi 11 mai, 20 h 54

Cher journal,

La fin de semaine est encore plus pénible que je ne
l'avais appréhendée. Mon seul espoir reposait sur le
temps de qualité que je pouvais passer avec mon père,
mais ce dernier a décidé d'apporter son ordinateur
avec lui. Déjà que son BlackBerry occupe les trois
quarts de son temps, la présence de son portable
élimine toute chance de pouvoir bavarder un peu
ensemble. Je le lui ai d'ailleurs fait sentir cet après-
midi alors qu'il avait les yeux rivés sur son écran.

Moi (en marmonnant assez fort pour qu'il puisse
m'entendre) : Une chance que je suis venue ici pour
passer du temps avec toi...
Mon père (en levant les yeux) : Hein? As-tu dit
quelque chose?
Moi (d'un ton découragé) : Laisse faire...
Mon père (en repoussant sa chaise) : Bon, que se
passe-t-il? Que puis-je faire de plus pour que ma
princesse soit heureuse?

Moi : Je sais pas trop... Je m'ennuie un peu. C'est plate.

Mon père (en sortant son portefeuille) : Tiens! Pourquoi ne prends-tu pas ma carte de crédit et ne vas-tu pas faire les boutiques à Magog avec Marie-Pier?

Moi : Non, merci. Ça ne me tente pas de magasiner.

Mon père (en s'approchant de moi et en touchant mon front) : Es-tu malade?

Moi (en repoussant sa main d'un coup sec) : Non, mais je ne passe pas ma vie à faire du *shopping*. Des fois, j'aime ça faire des activités un peu plus... intellectuelles.

Mon père (d'un air confus) : OK... Alors, pourquoi ne vas-tu pas lire un bon roman dehors?

Moi : Parce que je n'ai pas apporté de roman et qu'il fait froid dehors.

Mon père : Alors, va faire un tour dans le spa!

Moi : Je ne peux pas. Marie-Gos... Marie-Pier est déjà dedans.

Mon père : Ça ne t'empêche pas d'y aller. Il y a en masse de place pour deux.

Moi : Ouais, mais je ne veux pas la déranger dans son moment de tranquillité.

Mon père : Mais non ! Je suis certaine que ça lui fera plaisir que tu te joignes à elle.
Moi : J'aime mieux pas.
Mon père : Pourquoi ? As-tu un problème avec Marie-Pier ?

Si seulement il savait.

Moi : Non, non... Mais... J'ai mes règles.

Mon père est devenu tout rouge et il a toussoté. J'avais trouvé le bon argument pour qu'il me laisse tranquille.

Mon père : Euh... Bon, laisse-moi répondre à quelques courriels, et après, on ira faire les courses et on cuisinera le souper ensemble. Ça te va ?
Moi : Ouais, OK.

J'ai essayé de m'occuper l'esprit et de fuir Marie-Gossante tout le reste de la journée en feuilletant des magazines, en regardant un film et en faisant une promenade, puis j'ai décidé de relancer mon père vers 18 h. Ce dernier avait encore les yeux rivés sur son ordinateur.

Moi: Papa?
Mon père: Hum?
Moi: On y va?
Mon père: Où ça?
Moi: Ben, à l'épicerie, c't'affaire! Tu m'as dit il y a plus de quatre heures que nous allions faire les courses << après avoir envoyé *quelques* courriels >>!
Mon père: Ah! Désolé, ça m'était sorti de la tête. Je n'ai pas vu le temps passer. Est-ce que ça te dérange d'y aller avec Marie-Pier? De toute façon, c'est sûrement elle qui fera le souper.

C'en était trop. Non seulement il m'avait obligée à laisser tomber mes plans avec mes amis pour l'accompagner dans un trou perdu, mais voilà maintenant qu'il me délaissait complètement et qu'il me forçait à passer du temps avec sa blonde!

Moi (d'un ton sec): Oui, ça me dérange!

Mon père m'a regardée d'un air surpris.

Mon père : Pardon ?
Moi : Ça me dérange de devoir faire les courses
avec ta blonde alors que tu m'avais promis
qu'on le ferait ensemble, et ça me gosse aussi
qu'elle prépare le repas alors que c'est une des
seules activités qu'on fait encore ensemble ! Je
ne comprends pas pourquoi tu m'as obligée à
venir avec vous, papa ! Tout ce que tu fais, c'est
travailler, alors qu'est-ce ça change que je sois ici
ou à Montréal ? Ça te donne meilleure conscience ?

Mon père a balbutié une réponse, mais il avait l'air en
état de choc. C'était l'une des premières fois que je me
confrontais à lui à propos du temps qu'il me consacrait.

Moi : C'est bien ce que je pensais ! Merci de me
faire rater l'anniversaire de ma meilleure amie pour
passer du temps avec des maringouins !

Je me suis alors dirigée vers ma chambre et j'ai
claqué la porte. Des larmes coulaient sur mes joues.

Ça faisait tellement longtemps que j'éprouvais de
la colère que ça sortait de partout. J'ai aussitôt
entendu des coups à ma porte. J'ai rapidement
essuyé mon visage. Pas question que mon père
me voie pleurer. Je me suis couchée sur mon lit
avec un magazine et j'ai fait semblant d'être très
concentrée sur ma lecture.

Moi : Je n'ai envie de voir personne.
Mon père : C'est moi.
Moi : Tu fais partie de ceux que je ne veux pas voir.

Mon père a ignoré ma réplique et a ouvert la
porte.

Mon père : Je m'excuse, ma chérie. Je sais que
je suis souvent occupé, mais je tiens à ce que tu
saches que ce n'est pas parce que tu n'es pas
importante pour moi. Je te jure que je ne vois pas
le temps passer.
Moi (sans lâcher mon magazine des yeux) : As-tu fini ?
Mon père : Non. Je veux qu'on aille à l'épicerie
ensemble.

Moi: Ça ne me tente plus d'y aller. Je veux être toute seule. Va-t-en, papa.

Mon père a fait des yeux piteux et il est sorti doucement de ma chambre. J'ai entendu Marie-Gossante intervenir. Mais de quoi se mêle-t-elle? Ce n'est pas de ses affaires! Je n'ai pas besoin de ses conseils ni d'une deuxième mère!

J'ai tendu l'oreille pour entendre ce qu'ils disaient.

MG: Tu ne vas quand même pas la laisser dans cet état-là?
Mon père: Elle ne veut pas me parler! Je ne vais quand même pas la forcer!
MG: Retourne la voir, *babe*.
Mon père: Je connais ma fille. Il ne faut pas la brusquer quand elle a besoin d'air. Je vais aller à l'épicerie. Pourquoi n'essaies-tu pas de lui parler, toi?

Je croisais les doigts et les orteils pour qu'elle refuse. J'ai alors entendu mon père sortir du chalet et embarquer dans sa voiture. Ensuite, Marie-Gossante s'est approchée de ma chambre sur la pointe des pieds avant de frapper.

MG : Maude ?
Moi (d'un ton bête) : Quoi ?
MG : Je peux entrer ?
Moi : Non.
MG : S'il te plaît ? Ça va prendre deux minutes.

Je suis restée silencieuse. Je n'avais pas envie de m'obstiner avec elle. Je serais plus vite débarrassée si je la laissais faire son intervention bidon.

MG (en entrouvrant la porte) : Qu'est-ce que tu fais ?
Moi : Je lis.
MG : J'ai entendu la dispute entre ton père et toi...
Moi : Je n'ai pas envie d'en parler.
MG : Je comprends... Mais j'aimerais simplement te dire ce que je pense.

J'ai soupiré. Elle m'énerve.

Moi : Quoi ?

MG : Ton père n'agit pas comme ça pour mal faire... Il est un peu maladroit avec toi et il travaille beaucoup, mais il ne faut surtout pas que tu le prennes comme une attaque personnelle.

Moi : C'est entre mon père et moi. J'ai déjà dit que je n'avais pas envie d'en parler.

MG : OK, mais si jamais tu as envie de discuter, ma porte est grande ouverte. J'aimerais vraiment que tu me perçoives comme une confidente... ou comme une sorte de grande sœur !

Oh, mon Dieu ! Moi qui n'ai jamais voulu de frère ni de sœur, me voilà pognée avec une belle-mère gossante qui veut tisser des liens de sang !

Moi : Si ça ne te dérange pas, j'aimerais continuer ma lecture.

Marie-Gossante m'a souri et a refermé la porte en sortant. Quand mon père est rentré environ quarante minutes plus tard, je l'ai entendue lui faire

un résumé de notre conversation. Mon père est
aussitôt revenu à la charge.

Mon père (en ouvrant ma porte): Ma chérie?
Je sais que tu es encore en colère, mais j'ai une
surprise pour toi.
Moi (en plissant les yeux pour lui montrer que
j'étais très concentrée sur la lecture de mon
article): Hum?
Mon père: En fait, j'ai trois surprises...

J'ai levé les yeux vers lui. Ça m'énerve, car il
finit toujours par m'avoir de la même façon. On
dirait que je n'arrive pas à résister à l'appât des
surprises malgré ma peine et ma colère.

Moi (d'un ton arrogant): Quoi? Du poivron rouge?
Wow... Merci.
Mon père: Il n'y a pas que des légumes à l'épicerie.
Il y a aussi... des livres.
Moi (en m'efforçant d'avoir l'air dégoûté): Tu m'as
acheté un livre? Et quoi? C'est censé me rendre
heureuse?

Mon père : J'ai acheté un super bon livre de recettes. Je me suis dit qu'on pourrait en cuisiner une ce soir, et que ça pourrait même devenir notre nouvelle tradition.

Je devais admettre que c'était une bonne idée. Le seul hic, c'est que je me doutais bien que sa << tradition >> s'établirait une seule fois par année...

Son effort m'a tout de même touchée. J'ai décidé de lui accorder le bénéfice du doute.

Moi : Hum. OK. Et c'est quoi, les autres surprises ? Mon père (en me tendant un sac) : Voilà. Ça vient d'une jolie boutique située près de l'épicerie.

J'ai ouvert le sac et j'ai aperçu deux petites boîtes. La première contenait une bague vraiment cool ornée d'une pierre vert pâle.

Mon père : Selon la dame, c'est ta pierre de naissance... Mais j'avoue que j'ai oublié le nom. Moi : C'est un péridot.

Mon père : Tes connaissances générales m'impressionnent, ma chérie.

L'autre petite boîte renfermait quant à elle une jolie chaîne en argent ornée d'un L.

Moi : L pour... loutre ? Tu trouves que je ressemble à une loutre ?

Ma blague a détendu l'atmosphère.

Mon père (en riant) : Non. L pour lion, ton signe astrologique. C'est aussi un animal qui te représente bien.
Moi (en haussant un sourcil) : Parce que je suis grosse et poilue ?
Mon père (en s'assoyant près de moi et en prenant ma main) : Parce que tu es majestueuse, distinguée, loyale, forte et courageuse.
Moi (en esquissant un petit sourire) : T'es vraiment prêt à tout pour qu'on se réconcilie, hein ? Même à inventer des traits de caractère bidon pour essayer de me faire plaisir ?

Mon père (en haussant les épaules): Je fais ce que je peux! Alors... viens-tu? J'ai acheté de la bouffe pour une armée. Il suffit de trouver quoi en faire!

J'ai souri et j'ai suivi mon père jusque dans la cuisine. Nous avons finalement cuisiné des brochettes de fruits de mer qui se sont révélées délicieuses. En fait, le souper aurait été parfait, n'eût été la présence de Marie-Gossante.

Après le repas, mon père m'a dit qu'il devait terminer un truc pour le travail afin d'être libre comme l'air le lendemain. Il m'a toutefois prêté son iPad en me donnant la permission de louer le film de mon choix. J'espère que le beau Liam Hemsworth me fera oublier qu'en ce moment tous mes amis et mon chum sont réunis chez Jeanne et que je ne suis pas là pour festoyer avec eux ni pour surveiller José...

Maude xox

À : Vivajose@mail.com
De : Queenbee@mail.com
Date : Dimanche 12 mai, 11 h 22
Objet : Coucou !

Bon matin, mon chéri !

J'espère que c'était le *fun* hier soir chez Jeanne. Je suis vraiment déçue d'avoir raté ça. J'ai hâte que tu me racontes.

Ici, ça se passe OK. Aujourd'hui, il fait vraiment beau. Notre voisin de chalet nous a offert de faire un tour sur le lac à bord de son bateau. Je vais essayer d'en profiter pour bronzer un peu.

J'ai très hâte à demain pour te voir. Je t'aime plus que tout au monde.

Maude xox

À : Queenbee@mail.com
De : Jeanneditoui@mail.com
Date : Dimanche 12 mai, 13 h 33
Objet : Tu m'as manqué !

Salut, toi !

J'espère que ta fin de semaine au lac se passe bien ! Qu'est-ce que tu as fait comme activité ? Est-ce qu'il fait aussi beau qu'ici ? Ça sent l'été dehors ! Ça veut dire que les vacances approchent ! YÉ ! !

Mon party d'hier était cool, mais tu m'as beaucoup manqué. On s'entend qu'une fête sans Maude Ménard-Bérubé ne peut pas être complètement réussie ! ;) Beaucoup de personnes se sont finalement pointées, et j'ai passé une bonne partie de la soirée à discuter et à danser sur les chansons que Lydia et Sophie avaient présélectionnées.

J'ai toutefois été témoin d'un truc, et j'aimerais t'en parler, mais je préfère le faire de vive voix. Peux-tu m'appeler quand tu rentreras ce soir s'il n'est pas trop tard ? J'aimerais ça qu'on jase avant de retourner à l'école demain.

Jeanne xxx

Dimanche 12 mai

Maude (en ligne): Hey, t'es là?

20 h 30

Lydia (en ligne): Ouais... Je suis là. Je pensais justement à toi. Comment vas-tu?

20 h 30

Maude (en ligne): Pas pire. Contente d'être revenue à la civilisation. Toi?

20 h 31

Lydia (en ligne): Soulagée que tu le prennes aussi bien.

20 h 32

Maude (en ligne): Que je prenne quoi aussi bien?

20 h 33

Lydia (en ligne): Euh... Tu n'as pas parlé à Jeanne?

20 h 33

Maude (en ligne): Non. Elle m'a écrit pour me dire qu'elle voulait me parler, mais ça ne répondait pas chez elle quand je suis rentrée. Qu'est-ce qui se passe, coudonc?

20 h 34

Lydia (en ligne): Rien.

20 h 35

Maude (en ligne): Comment ça, rien? Je le vois bien que vous avez quelque chose à me dire! Arrête de me prendre pour une épaisse!

20 h 35

Lydia (en ligne): Jeanne m'a fait promettre de ne rien dire, car elle voulait t'en parler de vive voix.

20 h 36

Maude (en ligne): ME PARLER DE QUOI????

Jeanne vient de se joindre à la conversation

20 h 37

Lydia (en ligne): Parlant du loup! Je vous laisse! BYE!

Lydia s'est déconnectée

20 h 37

Maude (en ligne): Jeanne, peux-tu me dire ce qui se passe, s'il te plaît? Tout le monde est bizarre avec moi et je commence à stresser.

20 h 38

Jeanne (en ligne): Je préfère t'appeler...

20 h 38

Maude (en ligne): Mon père est au téléphone et je n'ai pas envie d'attendre. Crache le morceau, s'il te plaît.

20 h 39

Jeanne (en ligne): OK. Hier, vers la fin du party, j'ai aperçu José dans le corridor près des toilettes...

20 h 39

Maude (en ligne): Ouais, pis? Il n'y a rien de mal à attendre pour aller aux toilettes!

20 h 40

Jeanne (en ligne): Il n'attendait pas vraiment... et il n'était pas seul.

20 h 40

Maude (en ligne): Qu'est-ce que tu veux dire? Il parlait à quelqu'un?

20 h 40

Jeanne (en ligne): Il faisait plus que parler...

20 h 41

Maude (en ligne): IL *CRUISAIT* UNE FILLE?

20 h 41

Jeanne (en ligne): Pas exactement...

20 h 42

Maude (en ligne): OK, je panique officiellement. Qu'est-ce tu as vu, exactement? Dis-moi TOUT, Jeanne.

Jeanne (en ligne): J'ai vu José en train d'embrasser une autre fille. Je suis tellement désolée. Je trouve ça dégueu de t'annoncer quelque chose comme ça par Skype, mais je préfère que tu l'apprennes par moi plutôt que par quelqu'un d'autre en plein milieu du cours de maths.

20 h 44

Jeanne (en ligne): Maude? Ça va? T'es toujours là?

20 h 44

Maude (en ligne): Ouais, je suis là. Je suis sous le choc. T'es sûre qu'il embrassait une autre fille???

20 h 44

Jeanne (en ligne): Certaine.

20 h 45

Maude (en ligne): Est-ce que tu es la seule à l'avoir surpris?

20 h 45

Jeanne (en ligne): Non... C'est ça le problème. Sophie s'est pointée derrière moi quelques secondes plus tard et elle a tout vu, elle aussi. Je sais qu'elle a tout raconté à Alex et Lydia, mais je leur ai fait promettre de n'en parler à personne d'autre. Je ne savais pas ce que tu voudrais faire avec cette information. Mais si tu veux mon avis, tu mérites mille fois mieux que lui. Tu ne devrais pas lui pardonner de t'avoir fait ça. Déjà qu'il te traite mal, il y a des limites à ce que tu peux endurer...

20 h 46

Maude (en ligne): Ne t'en fais pas pour ça. Est-ce qu'il sait que tu sais?

20 h 46

Jeanne (en ligne): Je n'en suis pas certaine. Lui ne m'a pas vue, mais mon regard a croisé celui de la fille.

20 h 46

Maude (en ligne): Donc tu sais c'est qui???

20 h 47

Jeanne (en ligne): Ouais...

20 h 47

Maude (en ligne): OK. C'EST QUI?

20 h 48

Jeanne (en ligne): Je préfère qu'on en parle de vive voix. Je peux venir chez toi, si tu veux.

20 h 48

Maude (en ligne): Jeanne, dis-moi c'est qui la folle qui a *frenché* José, *now*!

20 h 48

Jeanne (en ligne): J'ai parlé à la fille, et c'est une longue histoire...

20 h 49

Maude (en ligne): DIS-MOI C'EST QUI...

20 h 50

Jeanne (en ligne): Je pense que tu t'en doutes déjà...

20 h 51

Maude (en ligne): C'est Katherine, hein?

20 h 52

Jeanne (en ligne): Ouais...

20 h 53

Maude (en ligne): AHHHH! LA CONNE! Je le savais TELLEMENT qu'elle était amoureuse de José! Mais PERSONNE ne voulait me croire.

20 h 54

Jeanne (en ligne): Je ne crois pas que ce soit le cas, Maude.

20 h 54

Maude (en ligne): Es-tu vraiment en train de prendre SA défense après ce qu'elle m'a fait???

20 h 55

Jeanne (en ligne): NON! Tu sais bien que je ne ferais jamais ça. Ce qu'elle a fait est *cheap*, et crois-moi, elle en est très consciente, elle aussi! Ce que je voulais dire, c'est que je ne crois pas qu'elle ait embrassé José parce qu'elle est amoureuse de lui...

20 h 56

Maude (en ligne): T'as raison, Jeanne! C'est probablement juste parce que c'est une DINDE, une LÂCHE, un JUDAS et la PIRE ENNEMIE que j'aie jamais eue!!

20 h 56

Jeanne (en ligne): Je comprends ta colère. ☹ Je suis vraiment désolée que tu aies à vivre ça...

20 h 57

Maude (en ligne): Attends une minute... Comment sais-tu qu'elle n'est pas amoureuse de José? Tu lui as permis de s'expliquer même après qu'elle m'a joué dans le dos?!?

20 h 57

Jeanne (en ligne): Ouais.

20 h 58

Maude (en ligne): Je n'en reviens pas!! Je pensais au moins que je pouvais compter sur ta loyauté!!

20 h 59

Jeanne (en ligne): Maude, tu peux compter sur ma loyauté! Je le répète: je sais que Katherine a mal agi, et je m'en veux de ne pas avoir été plus à l'écoute quand tu m'as dit que tu n'aimais pas le genre de relation qu'elle entretenait avec José. Je m'excuse de ne pas t'avoir crue!

20 h 59

Maude (en ligne): OK, mais si tu ressens tout ça et que tu es de mon bord, pourquoi tu lui as permis de se justifier?

21 h 00

Jeanne (en ligne): Parce que Kath est aussi mon amie. Quand elle est venue me voir en pleurant deux minutes après que je l'ai surprise avec José pour me supplier de l'écouter, je n'ai pas pu dire non. Nous sommes allées nous asseoir dehors. Je lui ai dit que je trouvais ça vraiment bas et que par amitié pour toi, je ne pourrais jamais te cacher ce qu'elle avait fait.

21 h 01

Maude (en ligne): Pfff! Elle essayait sûrement de te manipuler avec ses larmes, la cruche!!

21 h 02

Jeanne (en ligne): Je ne crois pas. Elle se sentait vraiment mal. Elle m'a dit que José ne l'avait pas lâchée d'une semelle pendant la soirée. Il n'arrêtait pas de lui répéter à quel point elle était belle. Elle m'a aussi raconté qu'elle se sentait triste à cause de sa relation avec Éloi. Il paraît qu'il est tout le temps occupé, qu'il ne lui fait aucune place dans sa vie et qu'elle sent parfois qu'elle l'aime plus que lui ne l'aime. Bref, elle m'a avoué que les compliments de José l'avaient réconfortée. Même si elle a joué avec le feu en flirtant en retour, elle n'aurait jamais osé l'embrasser. Elle m'a dit que tu étais sa meilleure amie. Elle n'aurait jamais voulu te faire du mal délibérément.

21 h 03

Maude (en ligne): C'est n'importe quoi! Si elle tenait tant que ça à notre amitié, elle n'aurait pas *frenché* mon chum!!!

21 h 04

Jeanne (en ligne): Je sais, mais elle m'a juré que c'est lui qui l'avait entraînée vers le corridor soi-disant parce qu'il «avait un secret à lui dire». Elle m'a raconté qu'il l'avait attirée vers elle et qu'il l'avait embrassée sans crier gare. Elle m'a assuré que ça n'avait pas duré plus de cinq secondes.

21 h 05

Maude (en ligne): Je me fous de la durée; le fait est qu'elle a embrassé mon chum, qu'elle est la pire traîtresse au monde et que je ne lui pardonnerai JAMAIS de m'avoir fait ça!

21 h 06

Jeanne (en ligne): Je comprends que tu sois en colère et que tu aies besoin de temps, mais je te conseille quand même de t'expliquer avec elle.

21 h 06

Maude (en ligne): Ce n'est pas à moi à m'expliquer avec elle! C'est à elle à ramper à mes pieds pour espérer qu'un jour je puisse la détester un peu moins!

Jeanne (en ligne): C'est ce qu'elle voulait faire, mais elle avait tellement peur de ta réaction... Bref, je lui ai dit que je t'en parlerais d'abord, mais que te connaissant, tu aurais sûrement besoin de temps pour digérer tout ça.

21 h 08

Maude (en ligne): Qu'est-ce que tu veux que je digère ? Ma prétendue « amie » a embrassé mon chum !!! Ça me donne plutôt le goût de vomir !

21 h 09

Jeanne (en ligne): Je sais... mais tu dois te rappeler qu'elle n'est pas la seule à avoir mal agi ! C'est ton imbécile de chum qui lui a couru après et qui a insisté pour qu'il se passe quelque chose entre eux. J'espère que tu vas lui faire payer !

21 h 10

Maude (en ligne): Compte sur moi... Il va le regretter ! Bon, je te laisse. J'ai besoin de crier ou de frapper sur quelque chose.

21 h 11

Jeanne (en ligne): Je déteste ça savoir que tu ne files pas. Veux-tu que je vienne chez toi ? Je pourrais dire à mes parents que c'est une urgence scolaire !

21 h 12

Maude (en ligne): C'est gentil, mais non. J'ai besoin d'être seule.

21 h 13

Jeanne (en ligne): Je comprends. Mais si jamais tu as besoin de parler ou de pleurer, je suis là, OK? Je vais rester connectée juste au cas.

21 h 14

Maude (en ligne): C'est gentil, mais je ne crois pas que ce soit nécessaire. À demain, Jeanne. Merci de me l'avoir dit.

21 h 14

Jeanne (en ligne): C'est le moins que je puisse faire. À demain! Je t'aime et je suis là pour toi.

Maude s'est déconnectée

À : Queenbee@mail.com
De : Vivajose@mail.com
Date : Lundi 13 mai, 16 h 22
Objet : Pardonne-moi

Holà, chiquita,

Comme tu m'as évité toute la journée et que tu n'as pas voulu m'entendre, je me suis dit que j'aurais plus de chance de capter ton attention par courriel. Je sais que Jeanne t'a raconté ce qui s'est passé entre Katherine et moi samedi soir, mais je voulais te dire que ce n'est pas ce que tu penses.

Je n'ai pas embrassé Katherine parce que je suis amoureux d'elle. C'est toi que j'aime. J'ai été vraiment con. Tu sais comme moi que Katherine est toujours sur la *cruise*, et j'ai simplement cédé à son charme. Tu me manquais ce soir-là et même si je n'ai pas voulu te l'avouer, j'étais un peu fâché que tu partes pour la fin de semaine. Je me sentais abandonné et j'ai été faible.

Je voudrais vraiment que tu me pardonnes. Tu sais qu'on est faits pour être ensemble, *babe*.

Je t'aime et je m'excuse vraiment,

José

À : Queenbee@mail.com
De : Katherinepoupoune@mail.com
Date : Mardi 14 mai, 16 h 04
Objet : Je me sens comme la pire des cruches

Salut, Maude !

Je sais que tu me détestes en ce moment et que tu ne veux rien savoir de moi, mais j'espère que tu liras quand même ce courriel. Premièrement, je veux te demander pardon. Il n'y a rien qui puisse excuser ce que je t'ai fait, mais je veux que tu saches que je n'avais pas prévu qu'il se passe quelque chose entre José et moi. Je n'aurais jamais planifié une telle chose. Je n'ai jamais voulu te faire de mal.

Je sais que je t'ai blessée et que tu m'en veux beaucoup, mais j'espère qu'avec le temps, tu sauras me pardonner.

Je voulais aussi te dire qu'Éloi ne sait pas ce qui s'est passé en fin de semaine. Il me sent bizarre et distante, mais on dirait que je n'arrive pas à lui dire la vérité. Le problème, ce n'est pas que je n'assume pas mon erreur, c'est simplement que je ne crois pas que ça serve à grand-chose qu'il sache ce que j'ai fait. Je préfère casser avec lui sans qu'il souffre davantage. Je pense que j'ai fait assez de mal comme ça.

Finalement, je veux que tu saches que toute cette histoire m'a fait réaliser à quel point ton amitié est importante pour moi. La peur de te perdre me fait capoter. Je pleure tous les soirs en me couchant. J'espère que tu me connais assez pour savoir que je suis sincère, que je m'excuse du plus profond de mon cœur et que j'espère qu'un jour, toi et moi pourrons redevenir amies. En attendant, sache que je suis là pour toi.

Luv,

Katherine xox

Mercredi 15 mai, 21 h 54

Cher journal,

Je repoussais le moment de t'écrire, car je savais
qu'en décrivant les événements des derniers jours,
ça rendrait les choses plus réelles. Dimanche soir,
j'ai appris que José avait embrassé Katherine
au party de Jeanne. Boum! Ma pire crainte est
devenue réalité. Mon chum a été infidèle et << mon
amie >> m'a fait la pire vacherie du monde.

Quand je suis arrivée à l'école lundi, non seulement
je me sentais anéantie et trahie, mais je devais
aussi faire face aux autres (Lydia, Sophie,
Jeanne et Alex) qui étaient au courant et qui
me regardaient avec de la pitié dans les yeux.
<< Pauvre Maude, elle est cocue. Son chum et sa
meilleure amie... C'est horrible. >> Je déteste la pitié.
Ce n'est pas mon genre.

Sur le coup, j'ai décidé de réagir en rejetant
complètement Katherine et José. Quand je les

croisais dans le corridor, je ne les voyais pas. Quand ils essayaient de me parler, je ne les entendais pas, et quand ils pleuraient ou me regardaient d'un air piteux, je souriais en les ignorant. Pas question de me laisser amadouer par des larmes de crocodile.

J'ai ensuite opté pour la bonne vieille technique de la rumeur. J'ai demandé à Lydia et Sophie de m'aider en racontant à tout le monde que Katherine puait des aisselles et des pieds. En moins de quatre heures, pratiquement toute l'école la regardait d'un air dégoûté.

Le hic, c'est que son faux problème d'hygiène ne semblait pas combler le vide que je sentais en moi, et que le fait de couper José et Katherine de mon existence ne leur faisait pas assez payer ce qu'ils m'avaient fait. J'en ai donc conclu que la seule façon de retrouver ma dignité était de me venger. Hier soir, c'est Katherine elle-même qui m'a dit comment m'y prendre.

Elle m'a écrit pour me demander pardon (blablabla) et pour me dire qu'Éloi n'était toujours pas au courant et qu'elle voulait casser avec lui sans lui dire toute la vérité. Même si son chum n'est pas mon ennemi, ce n'est pas une raison pour l'épargner. J'ai donc commencé à formuler un plan, et j'ai réussi à le mettre en action aujourd'hui même.

Après avoir passé la journée à crier haut et fort que Katherine puait, je me suis arrangée pour intercepter Éloi alors qu'il se dirigeait vers son casier.

Moi : Hey, salut!

Éloi : Euh. Salut.

Moi : Est-ce que je peux te parler?

Éloi : Je suis un peu pressé. J'ai des devoirs à faire.

Moi : C'est important. Tes devoirs peuvent attendre.

Éloi : L'école est finie. Ça ne me tente pas de rester ici.

Moi : Ça tombe bien. Je voulais te proposer d'aller au parc.

Éloi (en me regardant d'un drôle d'air) : Tu veux aller au parc?

Moi : Oui.

Éloi : Avec moi ?

Moi : Oui.

Éloi : Est-ce que c'est pour me parler de la rumeur débile qui court à propos de Katherine ? Je me disais justement que tu devais avoir quelque chose à voir là-dedans...

Moi : Je ne vois pas de quoi tu parles.

Éloi : Je sais qu'il y a un froid entre Kath et toi. Elle n'a pas voulu me donner d'explications, mais j'aimerais ça que tu la laisses tranquille. Elle est sensible, ma blonde.

Moi : Pfff. Sensible, mon œil.

Éloi (en fermant sa case et en mettant son chandail à capuchon) : Et en passant, elle sent très bon. Je suis bien placé pour le savoir.

Moi : Je m'en fous de l'odeur de ta cruche de blonde. Je veux juste te parler. On peut aller au parc, s'il te plaît ?

Éloi : Non.

Moi (en perdant patience) : Comment ça, non ?!

Éloi : Parce qu'on n'est pas amis, et que je n'ai pas envie d'aller me balader avec toi.

Il a lancé son sac par-dessus son épaule et il s'est dirigé vers la sortie. Je me suis évidemment lancée à ses trousses. Pas question qu'il gâche mon plan!

Moi : OK, j'ai compris. Tu ne veux pas aller au parc. Est-ce qu'on peut parler dans la cour, alors? C'est vraiment important.

Éloi m'a regardée et a poussé un soupir.

Éloi : Je te donne deux minutes.
Moi : Ça va être suffisant.

On s'est installés à la table à pique-nique devant l'école. J'ai réalisé que c'était l'un des endroits où j'avais l'habitude de m'asseoir avec José pour le coller, ce qui m'a aussitôt donné la nausée.

Éloi : Qu'est-ce qui se passe?
Moi : J'ai une mauvaise nouvelle à t'annoncer.
Éloi : Quoi?
Moi : As-tu remarqué que ta blonde est bizarre depuis samedi?

Éloi : Ouais, mais je ne vois pas en quoi ça te regarde.

Moi : Oh! Crois-moi, ça me regarde.

Éloi : Arrête de tourner autour du pot, Maude. Qu'est-ce que tu veux me dire?

Moi : Que quand le chat n'est pas là, les souris dansent!

Éloi : Ça veut dire quoi, ça?

Moi : Que nous sommes tous les deux cocus, mon cher.

Éloi (en devenant blême) : Hein?

Moi : Ta blonde et mon chum se sont embrassés, samedi soir. Jeanne et Sophie les ont vus.

Éloi a cligné des yeux et m'a observée d'un air perplexe.

Éloi : Tu me niaises, c'est ça? Tu t'es chicanée avec Katherine, et là, tu cherches à te venger en partant une autre rumeur absurde à propos d'elle! Je connais tes techniques, Maude. Je ne suis pas naïf comme les autres.

Moi : C'est vrai que c'est mon genre de vengeance,

mais quand je le fais, je ne suis pas assez cruche pour m'inclure dans la rumeur. Je te ferais remarquer que la nouvelle que je viens de t'annoncer est aussi troublante et honteuse pour moi que pour toi. Je n'inventerais pas quelque chose qui me cale, Éloi.

Éloi : Je... Je suis sûr que tu mens.

Moi : Non, tu n'es pas sûr. Je le vois sur ton visage. La vérité fait mal, hein ?

Je voyais bien qu'il luttait intérieurement pour cacher son malaise.

Éloi : Même si c'était vrai, pourquoi c'est toi qui me l'annoncerais ? Je connais Katherine. Si elle avait fait une chose pareille, elle me l'aurait avoué.

Moi : Il est temps que je pète ta bulle, mon grand : ta blonde n'est pas honnête, et elle est bien trop lâche pour te dire la vérité. Au moins, Jeanne a eu la classe de me dire ce qui s'était passé. Et je me suis dit que tu méritais le même respect.

Éloi s'est mis à gigoter sur place. Il me fallait un dernier argument béton pour le convaincre. C'est alors que j'ai aperçu une tignasse rousse sortir de l'école. Je venais de trouver la pièce à conviction qui me manquait.

Moi (en criant): Sophie? Peux-tu venir ici une minute?
Sophie (en courant vers nous): Hey, salut!
Moi: Sophie, peux-tu dire à Éloi ce que tu as vu samedi soir?

Sophie m'a regardée en écarquillant les yeux.

Moi (en m'adressant à elle comme à une enfant): C'est correct. Je veux qu'il le sache, lui aussi.
Sophie (en chuchotant): T'es sûre? Parce que Kath a dit que...
Moi: DIS-LE.

Sophie s'est tournée vers Éloi en se tordant les mains.

Sophie: J'ai vu... euh... José qui embrassait une fille.
Éloi: Quelle fille?

Sophie s'est gratté la tête et s'est mise à danser sur place.

Sophie : Hey, j'ai vraiment envie de pipi. Je pense que je vais devoir retourner dans l'école.

Je me suis levée pour lui bloquer le chemin.

Moi : Sophie, réponds à sa question. Quelle fille embrassait José ?
Sophie (en regardant par terre) : Kath... Katherine. Je suis désolée, Éloi.

Éloi s'est levé d'un bond et s'est mis à marcher vers le parc. Mon plan se déroulait à la perfection. J'ai remercié Sophie et j'ai couru pour le rattraper.

Éloi (sans même me regarder) : Ça ne se peut pas. Elle a vraiment fait ça ?
Moi : Ce n'est pas comme si je n'avais pas essayé de te prévenir...
Éloi (en se laissant choir sur l'herbe) : Je lui faisais

confiance. Comme un con. Elle m'a brisé le cœur.
Elle m'a humilié.

Éloi s'est mis à pleurer. J'avoue que je n'avais pas
prévu de larmes. Je m'attendais plutôt à de la
colère. Ça m'a un peu déstabilisée. J'ai hésité, puis je
me suis assise à côté de lui et j'ai passé mon bras
autour de ses épaules.

Moi : Je... Je suis désolée.
Éloi (en essuyant ses larmes avec sa manche) : Moi
aussi. Je suis désolé de ne pas t'avoir écoutée et
d'avoir été assez con pour ne pas voir que c'était
louche entre eux. Et je suis désolé que José soit
aussi croche. Tu mérites mieux, Maude. Tu vaux
tellement plus que ça.

J'ai senti un pincement dans ma poitrine. Une
partie de moi se sentait ridicule de se laisser
attendrir par un *nerd* comme Éloi, mais ses paroles
avaient réussi à m'atteindre. C'était tellement rare
d'entendre ce genre de choses. Tout à coup, je
me suis rappelé que j'étais aussi une victime dans

cette histoire. Katherine et José avaient lancé
une bombe, et Éloi et moi en étions les dommages
collatéraux.

Ma colère a aussitôt fait place à de la tristesse
et j'ai senti des larmes me piquer les yeux. La
vulnérabilité d'Éloi m'encourageait à me laisser aller.
J'ai donc éclaté en sanglots.

Éloi a semblé surpris. Il a maladroitement posé
sa main sur mon épaule. J'en ai profité pour me
rapprocher de lui et pour resserrer mon étreinte.
Nous étions maintenant collés l'un contre l'autre
sur le sol. Le temps était venu d'agir.

Je levé mon visage vers le sien et j'ai séché ses
larmes avec mes doigts. Il m'a regardée d'un drôle
d'air. J'ai fermé les yeux et j'ai posé mes lèvres
sur les siennes. Il s'est redressé aussitôt et s'est
détaché de moi.

Éloi : Qu'est-ce que tu fais ?
Moi (en faisant l'innocente) : Je sais pas trop. Je

cherche du réconfort, je pense.

Éloi : Maude, tu le sais que ce n'est pas correct de faire ça...

Moi (en me rapprochant de lui) : Pas correct pour qui ? Ils ont fait pire, après tout.

Éloi (en ravalant sa salive) : Je sais... mais ce n'est pas une raison pour qu'on se rabaisse à leur niveau...

J'ai poussé l'audace un peu plus loin et je me suis pressée contre lui en rapprochant mes lèvres des siennes.

Moi : On ne fait rien de mal. On fait juste se remonter le moral mutuellement.

Comme il ne bougeait pas, j'ai décidé d'agir. Je l'ai saisi par son chandail et je l'ai attiré vers moi. Je l'ai embrassé et il a finalement cédé en répondant à mon baiser. Même s'il n'est pas mon style, je dois avouer qu'il se débrouille plutôt bien.

Comme Jeanne m'avait raconté que Katherine lui avait dit que son baiser avec José n'avait supposément duré que quelques secondes, je me suis évidemment assuré que le nôtre dure plus longtemps.

C'est finalement lui qui a fini par détacher ses lèvres des miennes. J'ai consulté ma montre. Trois minutes. Pas mal.

Éloi : Nous... Nous n'aurions pas dû faire ça.
Moi (en me levant d'un bond, soudain ragaillardie) : Au contraire. Je me sens beaucoup mieux. *Ciao*, Éloi.

J'ai pressé le pas jusqu'à l'école. Je savais que Katherine avait une réunion du conseil étudiant jusqu'à 16 h, et je voulais être certaine de la croiser. Je me suis dirigée vers son casier. Elle était en train de parler à une fille de secondaire 3.

Moi (en me postant à côté d'elles et en m'adressant à l'inconnue) : Tu ferais mieux de garder tes distances si tu ne veux pas attraper sa mauvaise odeur.

La fille nous a dévisagées, puis elle est partie en vitesse. Katherine m'a regardée en soupirant.

Kath : Je ne peux pas dire que j'apprécie la rumeur que tu as répandue sur moi, mais je sais que je le mérite...
Moi (en plissant les yeux) : Non, ce que tu mérites, c'est ce qui vient d'arriver au parc.
Kath : De quoi tu parles ?
Moi : Disons simplement que je me suis chargée d'annoncer la mauvaise nouvelle à ton chum, et qu'on a décidé de se réconforter mutuellement.
Kath (en devenant rouge) : Ça veut dire quoi, ça ?
Moi : Ça veut dire qu'on s'est *frenchés,* nous aussi, mais que ce n'était pas un accident et que ça a duré plusieurs minutes.
Kath (les yeux pleins d'eau) : QUOI ? Tu es allée embrasser mon chum pour te venger ?

Tous ceux qui se trouvaient dans le coin des casiers se sont tournés vers nous.

Moi : Ouais. Et il embrasse pas mal mieux que je le pensais.

Kath (en haussant la voix): Comment as-tu pu me faire une chose pareille?

Moi (en criant aussi): C'est toi qui me poses la question, espèce de traître?

Katherine a éclaté en sanglots.

Kath (les mains sur le visage): C'est vrai. C'est moi qui ai mis de l'huile sur le feu. Mais je ne m'attendais pas à ce que tu me fasses la même chose.

Moi: C'est mal me connaître, Katherine.

Éloi est alors arrivé en courant. Katherine et lui se sont regardés, et il a fermé les yeux.

Éloi: Je me doutais bien qu'elle faisait ça pour te rendre la pareille. Mais tu sais quoi? Je n'ai même pas envie de m'excuser. C'est incroyable, non? Il faut vraiment que j'aie mal pour agir comme ça...

Kath: Éloi, je...

Éloi: Arrête. Ça ne sert à rien. Non seulement tu m'as trompé, mais tu n'as même pas eu l'honnêteté de me le dire.

Kath (en se rapprochant de lui) : Je sais. Je suis désolée... Mais je ne voulais juste pas que tu me détestes.

Éloi : Tu ne t'y es vraiment pas prise de la bonne façon, Kath.

Il y a eu un moment de silence. J'ai croisé les bras et je me suis appuyée contre un casier pour mieux suivre la scène.

Kath : Est-ce qu'on peut au moins discuter ? Parler de tout ça calmement... essayer de trouver une solution ?

Éloi (en reculant d'un pas) : Non. Tu ne comprends pas. Il n'y a pas de solution possible. Je ne peux plus être avec toi. C'est impossible d'oublier ce qui s'est passé. C'est irréparable. Je ne te ferai plus jamais confiance, Kath ! Et pour être honnête, je n'aime pas trop le gars que je suis en train de devenir.

Kath (en pleurant doucement) : Éloi, s'il te plaît ! Laisse-moi une chance !

Éloi : Je ne peux pas passer l'éponge. Pas plus que tu ne peux me pardonner d'avoir embrassé ta meilleure amie. C'est allé trop loin.

J'ai entendu des murmures autour de nous. Les gens parlaient de notre histoire et alimentaient les rumeurs.

Éloi a regardé Katherine d'un air triste, puis il est parti. Elle s'est aussitôt laissée tomber sur le sol en pleurant de façon hystérique. Jeanne est alors apparue à côté de moi.

Jeanne : Ben, voyons ! Qu'est-ce qui se passe, ici ?

Moi : Éloi vient de casser avec Katherine. Elle a eu ce qu'elle méritait.

Jeanne (en s'installant auprès de Kath et en levant les yeux vers moi) : J'en conclus qu'Éloi est maintenant au courant ?

Katherine (entre deux sanglots) : Ouais.

Jeanne : Et je devine que c'est Maude qui lui a dit ?

Katherine (en se relevant d'un coup et en se plantant devant moi) : Oh, elle a fait plus que lui dire ! Elle s'est arrangée pour se venger en l'embrassant.

Jeanne : Maude ! Tu n'as pas vraiment fait ça ?

Moi : Est-ce que tu vas vraiment me faire la

morale pour quelque chose que Poupoune-ici-
présente a fait dans mon dos?

Jeanne (en soupirant): *Come on*, les filles! Ça n'a
aucun sens, votre affaire! Réglez ça, une fois pour
toutes!

Moi: Je ne peux pas << régler ça >>, comme tu dis.
Katherine m'a trahie et a détruit ma relation.

Katherine: T'es mal placée pour parler! T'as fait
exactement la même chose!

Moi: Ouais, mais la différence, c'est que tu n'as pas
eu besoin de moi pour ruiner ton couple.

Jeanne: Bon, j'en ai assez entendu. Votre dispute
ne me concerne pas, et je n'ai plus envie de m'en
mêler. Je vous laisse vous arranger. Bye!

Jeanne est partie et Katherine et moi nous
sommes dévisagées pendant quelques instants.

Katherine: Je ne sais pas quoi dire.

Moi: Moi non plus.

Katherine: Je me suis excusée mille fois, Maude.
C'est à ton tour de le faire.

Moi: Pfff. Je n'ai aucune raison de m'excuser.

Katherine : Ah non ? Embrasser mon chum et m'humilier en public, ce n'est pas une bonne raison ?
Moi : Je n'aurais jamais fait ça si tu ne m'avais pas trahie. J'ai bien des défauts, mais je suis loyale envers mes amies.

Katherine a baissé les yeux.

Katherine : Le pire dans tout ça, c'est que je sais que tu as raison. Je me sens vraiment *cheap*.
Moi (en détournant le regard) : Au moins, tu le reconnais.
Katherine : Qu'est-ce qu'on fait, maintenant ?
Moi : Je ne sais pas.
Katherine : Une partie de moi s'en veut, une partie de moi t'en veut, et une autre a envie de te dire que tu me manques et que je ferais n'importe quoi pour que tu me pardonnes. Penses-tu que ce soit possible ?

J'ai hésité, mais j'ai préféré ne pas répondre.

Katherine : Est-ce qu'on peut au moins se dire qu'on est quittes ?

Moi : Oui et non. Oui, parce que je t'ai rendu la pareille, mais non parce que tu m'as vraiment blessée, Kath.

Katherine : Je sais. Je te promets de faire tout ce que je peux pour te prouver que je tiens à toi, que je regrette ce qui s'est passé et pour que tu me fasses confiance.

J'ai poussé un soupir.

Moi : *Ciao.*

Katherine : Bye.

J'ai tourné les talons. Honnêtement, je ne sais pas si nous pourrons réellement redevenir amies après tout ce qui s'est passé.

À mon retour chez mon père, j'ai ignoré Marie-Gossante qui parlait de *hot yoga*. Je me suis enfermée dans ma chambre. J'ai enlevé les photos de José de mon mur et j'ai mis toutes les choses qui me font penser à lui dans une boîte. J'ai lu sur un site que c'était la meilleure façon de passer à autre chose. Le problème, c'est que ça ne fait pas disparaître ma peine et le trou dans ma poitrine. J'ai tellement mal. J'espérais que ma vengeance et ma colère apaisent un peu ma tristesse, mais ce soir, je réalise que José m'a blessée beaucoup plus profondément que je ne le croyais.

Maude xox

Chapitre 6 :
Hamburger tout garni

À : Queenbee@mail.com
De : Vivajose@mail.com
Date : Jeudi 16 mai, 17 h 29
Objet : Je ne te comprends pas...

Salut,

J'ai vraiment essayé par tous les moyens de te joindre, et ça m'énerve que tu restes silencieuse. Est-ce que tu as reçu mon dernier courriel ? Tu n'as rien à dire ?

Alex m'a dit que Katherine lui avait raconté qu'il s'était passé quelque chose entre Éloi et toi, hier après-midi. Comme tu dois t'en douter, ça m'a vraiment fait mal. Je sais que tu es fâchée contre moi, mais est-ce que tu avais vraiment besoin de m'humilier comme ça ? Réalises-tu que j'ai l'air d'avoir perdu la face contre un *geek* et que tout le monde sait que ma blonde a embrassé l'ex de Katherine ? Comment suis-je censé réagir ?

J'avoue que je ne te comprends pas, *babe*. J'aimerais ça qu'on s'explique.

Te quiero,

José

À : Vivajose@mail.com
De : Queenbee@mail.com
Date : Jeudi 16 mai, 22 h 01
Objet : Tu ne comprends VRAIMENT rien

J'ai relu ton courriel sept fois parce que je n'arrivais pas à croire que tu m'aies écrit une chose pareille. J'ai souvent le don de me taire avec toi, mais là, il est grand temps de te faire comprendre une couple de choses...

Premièrement, je ne t'ignore pas parce que je boude. Ce n'est pas un jeu. Ce que tu as fait la fin de semaine dernière dépasse vraiment les bornes. Tu m'as profondément blessée. Bref, si je ne te parle pas et que je ne te réponds pas, c'est simplement parce que ce n'est pas sain pour moi de le faire. Tu ne mérites pas de m'avoir dans ta vie.

Deuxièmement, je me fous royalement de la façon dont mon baiser avec Éloi a pu te faire sentir. Comment crois-tu que j'ai réagi en apprenant de la bouche de mon amie que tu m'avais trompée avec Katherine ? Qui es-tu pour me faire sentir coupable d'avoir voulu te rendre la pareille ? Sache tout de même que mon but n'était pas de « t'humilier », mais plutôt de te faire comprendre que cette fois-ci, tu étais allé trop loin. Je ne pourrai jamais te pardonner ça. Entre toi et moi, c'est fini pour la vie.

Enfin, lâche-moi avec tes « *babe* » et tes « *te quiero* ». Ça m'énerve et ça m'insulte. Laisse-moi tranquille. C'est tout ce que je te demande.

Maude

Samedi 18 mai, 14 h 54

Cher journal,

Je ne peux malheureusement pas dire que ma
vie va vraiment mieux depuis mercredi. José m'a
écrit pour me faire sentir coupable d'avoir *frenché*
Éloi. J'ai répondu que je m'en fichais et que c'était
vraiment terminé entre nous. Jeanne m'a aidée à
composer le courriel, car je n'y arrivais pas toute
seule. Comme j'ai tendance à être faible avec José,
je suis contente de pouvoir compter sur elle pour
me ramener à l'ordre et me rappeler qu'il est
vraiment allé trop loin.

Je sais que je ne devrais pas, mais une partie de
moi panique un peu à l'idée de me retrouver seule.
J'espère secrètement que tout ce qui s'est passé
transformera José et qu'il reviendra vers moi
en pleurant et en lançant des pétales de roses
sur mon chemin. Évidemment, je n'oserais jamais
avouer ça à personne. Je préfère garder la tête
haute et répéter aux filles qu'il n'est qu'un minable.

Pour ce qui est de Katherine, elle continue à me demander pardon et à m'écrire des dizaines de lettres pour répéter qu'elle n'a jamais voulu me faire de mal et que même si elle a aussi de la peine, elle comprend ce qui m'a poussée à me venger. Pour l'instant, c'est encore très froid entre elle et moi. Comme on fréquente les mêmes personnes, on doit se côtoyer très souvent à l'école, mais disons que je m'arrange pour ne pas lui adresser directement la parole.

Pour couronner cette semaine, qui deviendra à jamais l'une des pires de ma vie, hier, quand je suis arrivée chez ma mère (j'y suis jusqu'à dimanche de la semaine prochaine. Ça va me faire du bien de prendre une pause de Marie-Gossante), elle m'a montré l'épreuve de la publicité pour Sacs Ados que mon agence lui a envoyée. Non seulement j'apparais en arrière-plan, ce qui me donne l'air d'une figurante, mais je ne regarde même pas l'objectif. On dirait même que je louche sur la photo. Et le pire dans tout ça, c'est que la pub sera affichée dans tous les métros et sur tous les autobus. Une vraie honte!

Moi : ARK ! Je suis ben laide !

Ma mère : Pas du tout ! Tu as l'air mystérieuse.

Moi : Maman, s'il te plaît ! J'ai les yeux croches et je suis en arrière-plan ! Pourquoi ont-ils choisi ce cliché ?

Ma mère : Selon l'agence, c'était le meilleur.

Moi : C'est vraiment très difficile à croire.

Ma mère : Chérie, ne fais pas cette mine-là ! C'est une super pub, et on pourra te voir partout.

Moi : Pfff ! Avec cette face-là, je préfère encore qu'on m'ignore ! C'est ce qui risque d'arriver comme on me voit à peine sur la photo. L'accent est vraiment mis sur les autres ratés !

Ma mère : Pas du tout ! On te voit très bien, et tu es très belle ! Coudonc, qu'est-ce qui se passe avec toi ? Tu es bien négative, aujourd'hui !

Moi (en grommelant) : Désolée. J'ai eu une semaine difficile.

Ma mère : Veux-tu m'en parler ?

Moi : Non.

Ma mère a hésité pendant quelques secondes, mais elle s'est finalement contentée de me sourire d'un air empathique. Ce que j'aime avec elle, c'est qu'elle me connaît assez bien pour savoir qu'il ne faut pas me brusquer quand je ne suis pas dans mon assiette.

Ma mère : As-tu des trucs de prévus en fin de semaine? Vois-tu les filles? Veux-tu inviter José à la maison?

La vérité, c'est que je n'avais aucune envie de voir << les filles >> dans le contexte actuel, et encore moins d'inviter mon ex chez moi.

Moi : Non. J'aime mieux passer du temps avec toi.

Ma mère m'a regardée d'un air attendri.

Ma mère : Oh! Moi aussi, ma chérie! En plus, ils annoncent de la pluie, alors on pourra passer toute la fin de semaine dans notre cocon.

Des fois, ça m'arrange tellement que ma mère soit encore célibataire!

Moi : C'est en plein ce dont j'ai besoin !

Et c'est exactement ce que nous avons fait depuis hier. Nous avons réussi à enchaîner trois films de filles et à mettre la cuisine sens dessus dessous en cuisinant une lasagne, des crêpes et des biscuits.

J'aurais quant à moi été heureuse de poursuivre sur notre lancée végétative, mais après avoir englouti notre troisième portion de crêpes, ma mère a décidé qu'il était temps de nous secouer les puces et d'assister à un cours de salsa en fin d'après-midi. Elle dit que ça fait partie de sa << nouvelle vie >> ! J'ai bien hâte de voir ça !

Maude xox

À : Queenbee@mail.com
De : Katherinepoupoune@mail.com
Date : Mardi 21 mai, 19 h 44
Objet : Coucou !

Salut !

J'espère que tu vas bien. Je n'ose pas trop venir vers toi à l'école, car je ne veux pas te brusquer, mais je tiens à ce que tu saches que je pense quand même tout le temps à toi et que je souhaite du fond du cœur qu'on arrive à redevenir amies.

Parlant de ça, je sais que c'est encore bizarre entre nous, mais mon père s'est fait offrir une paire de billets pour assister au concert de Simple Plan la semaine prochaine (vendredi le 31). Comme ce n'est pas trop son genre de musique, il me les a refilés en me disant d'inviter une amie. J'ai évidemment tout de suite pensé à toi.

Je sais que c'est un peu tendu entre nous en ce moment, mais je me suis dit que ce serait une bonne occasion de penser à autre chose et d'avoir un peu de *fun* ensemble, ou du moins de danser chacune de notre côté si tu préfères profiter du concert sans devoir me parler. ;)

Tu me diras ce que tu en penses,

Luv,

Katherine

Vendredi 24 mai

18 h 33

Jeanne (en ligne): Salut! Je ne t'ai même pas vue après l'école!

18 h 33

Maude (en ligne): Ouais, je sais. Désolée. José gossait dans le coin de mon casier, alors je me suis sauvée très vite.

18 h 34

Jeanne (en ligne): Comment se passe ton évitement volontaire?

18 h 34

Maude (en ligne): Disons que je remercie maintenant les dieux de ne pas être dans sa classe, car ce serait encore pire! Heureusement pour ma santé mentale, il reste moins d'un mois d'école, et après, je serai débarrassée pour tout l'été.

18 h 35

Jeanne (en ligne): Et avec Katherine, comment ça se passe? Je t'ai vue lui parler aujourd'hui.

18 h 35

Maude (en ligne): Ouais, je voulais lui parler du concert.

18 h 36

Jeanne (en ligne): As-tu décidé de l'accompagner?

18 h 36

Maude (en ligne): Je ne sais pas encore. Je me donne la fin de semaine pour y penser.

18 h 37

Jeanne (en ligne): Tu devrais accepter. C'est l'occasion parfaite pour vous réconcilier.

18 h 37

Maude (en ligne): Je ne sais pas si je vais être capable. C'est quand même énorme ce qu'elle m'a fait.

18 h 38

Jeanne (en ligne): Mouais, mais disons que ta vengeance est assez comparable.

18 h 38

Maude (en ligne): Je sais bien, mais c'est quand même elle qui m'a trahie la première. Je ne lui aurais jamais fait ça, Jeanne.

18 h 38

Jeanne (en ligne): T'es sûre?

Maude (en ligne): Qu'est-ce que tu essaies d'insinuer? Que j'aurais *frenché* son *geek* même si je n'avais pas été en colère contre elle? Aucune chance.

18 h 39

Jeanne (en ligne): Tout ce que je sais, c'est que ta relation malsaine avec José te poussait parfois à faire des choses assez croches...

18 h 40

Maude (en ligne): Peut-être, mais je ne serais pas allée aussi loin.

18 h 40

Jeanne (en ligne): N'oublie pas que c'est lui qui l'a embrassée...

18 h 41

Maude (en ligne): Je sais tout ça, mais je n'arrive pas encore à accepter qu'elle ait répondu, ne serait-ce que brièvement, à son baiser.

18 h 42

Jeanne (en ligne): Je comprends, mais c'est mon devoir de faire l'avocat du diable et de te rappeler que tu l'as blessée, toi aussi. Si vous passiez un peu de temps ensemble, les choses pourraient vraiment s'arranger entre vous. Maintenant que je t'ai dit ce que je pensais, on peut changer de sujet!;) Qu'est-ce que tu as de prévu en fin de semaine?

Maude (en ligne): Demain, je vais faire une longue balade en vélo avec ma mère. Elle est vraiment motivée à essayer des nouvelles activités, ces temps-ci! Et dimanche, je dois préparer mon oral de français avec Sophie. On va en profiter pour étudier pour l'exam de maths de mercredi prochain.

18 h 44

Jeanne (en ligne): Moi aussi, j'ai une fin de semaine de *nerd* devant moi! Je capote! On dirait que je croule sous les devoirs.

18 h 44

Maude (en ligne): Moi aussi, mais ça fait presque mon affaire. Ça me change les idées et ça fait que le temps passe plus vite. J'ai tellement hâte aux vacances!

18 h 45

Jeanne (en ligne): Quand est-ce que tu pars pour ton camp?

18 h 45

Maude (en ligne): Le 3 juillet.

18 h 46

Jeanne (en ligne): Oh, c'est cool! Je viens de réaliser qu'on partait en même temps! Je vais faire un tour de la Gaspésie avec mes parents du 5 au 20! Après ça, j'ai mon camp de tennis, et comme Marianne revient en ville, j'imagine qu'on aura plein d'activités sociales à l'horaire.

18 h 47

Maude (en ligne): Ah, c'est vrai. Je l'avais oubliée, elle.

18 h 47

Jeanne (en ligne): Bon, je te laisse. Je vais souper! JTM! xx

18 h 48

Maude (en ligne): Moi aussi! xox

Dimanche 26 mai, 19 h 59

Cher journal,

Me voilà de retour chez mon père. Pour une fois, c'est
lui qui est venu me chercher chez ma mère. J'espérais
qu'il m'annonce qu'on allait poursuivre la << tradition >>
des recettes, mais il m'a plutôt balancé qu'il avait
une téléconférence à 19 h et que Marie-Gossante
s'occuperait de commander des sushis.

La bonne nouvelle, c'est que Sophie et moi avons eu
le temps de terminer tous nos devoirs cet après-
midi. Je l'ai rejointe chez elle vers midi et nous
avons passé près de quatre heures à préparer
notre exposé de français et à réviser pour
l'examen de maths. À la fin de la journée, je n'avais
plus aucun neurone fonctionnel !

Moi (en rangeant mes affaires) : Je trouve qu'on
a été pas mal productives, mais il va falloir que j'y
aille. Je dois faire ma valise pour retourner chez
mon père.

Sophie : Ah, c'est plate ! Je voulais justement t'inviter à souper.

Moi : On se reprendra.

Sophie : Parlant de ça, je pensais organiser un petit barbecue chez moi, samedi prochain. Mon père m'a proposé de cuisiner des burgers. Ça te tente ?

Moi : Ouais ! Cool !

Sophie (en prenant une feuille et un crayon) : Super ! Reste plus qu'à faire la liste des invités : Jeanne, Lydia, Katherine, Alex, et toute la gang de José !

Moi : Pardon ?

Sophie : Ah ! Scuse ! Tu ne veux pas que j'invite Kath ?

Moi : Non, c'est correct que t'invites Katherine. Mais José, ce l'est moins.

Sophie : Ben là, si je ne l'invite pas, ses amis ne voudront pas venir.

Moi : Je m'en fous.

Sophie : Et c'est sa fête bientôt ! On pourrait la célébrer en même temps !

J'ai regardé Sophie pendant de longues secondes. Elle ne semblait vraiment pas comprendre la source de mon malaise. Des fois, j'aimerais ça qu'elle soit plus intelligente qu'un géranium.

Moi : Sophie, il est hors de question que j'aille dans un barbecue avec José. C'est lui ou moi. Décide.

Sophie (d'un air renfrogné) : C'est bon, j'ai compris. Je trouve juste ça plate de faire un party avec juste des filles. Comment veux-tu que je me fasse un chum si je n'invite pas de gars ?

Moi : Je ne sais pas, moi ! Tu as juste à en inviter d'autres que José et sa gang.

Sophie (en réfléchissant) : Hum. Bonne idée. Je pourrais inviter Éloi et les gens du journal ?

Moi : Me niaises-tu ?

Sophie (en me regardant avec des yeux ronds) : Non...

Moi : Tu veux vraiment inviter l'ex de Katherine que je viens d'embrasser et la gang de *nerds* qui ont refusé que je fasse partie de leur journal débile ?

Sophie (en soupirant) : Ben là ! Ce n'est pas évident. T'es en guerre avec toute l'école !

Moi : Pas toute l'école... D'ailleurs, ça me donne une idée. Comme tu le sais, j'ai plusieurs amis en

secondaire 3. Je pourrais peut-être m'arranger
pour qu'ils viennent à ton barbecue!
Sophie (en frappant des mains): Ce serait trop
cool! J'ai toujours rêvé de sortir avec un gars plus
vieux!
Moi (en repoussant mes cheveux derrière mon
épaule): Ouais, mais si tu veux que ça marche avec
eux, il va falloir que tu sois pas mal plus mature.
J'ai peur que ton côté *groupie* les fasse fuir.
Sophie: Je ne suis pas *groupie*!
Moi (d'un ton sarcastique): C'est vrai qu'avec Alex,
tu étais un exemple d'indépendance...
Sophie (en acquiesçant de la tête): Mouais, t'as
raison. OK. Je vais « maturer ». Merci pour tes
conseils, Maude. T'es la meilleure.

Je suis rentrée chez moi avec le sourire aux
lèvres. La deuxième étape de mon plan « faire
souffrir José » pouvait se mettre en branle! Je
savais qu'en apprenant que j'avais invité Vincent,
un gars de secondaire 3 qui a toujours eu un *kick*
sur moi, et sa gang, il deviendrait vert de jalousie.
C'est exactement ce que je veux. J'ai envie qu'il ait

mal, qu'il comprenne qu'il a commis la pire erreur de sa vie! Je sais exactement de quelle façon m'y prendre pour y arriver!

Après le souper, j'ai aussi pris le temps de réfléchir à l'offre de Katherine. Une partie de moi a envie de la refuser pour lui faire comprendre qu'elle ne peut pas faire comme mon père et acheter mon pardon, mais finalement j'ai décidé de l'accompagner au concert de Simple Plan. Premièrement, j'adore ce groupe et ça me ferait suer de rater la possibilité de les voir sur scène. Deuxièmement, je me suis dit que ce serait une bonne occasion de savoir si j'étais encore capable de côtoyer Katherine ou si c'était préférable que je la renvoie dans les ligues mineures à tout jamais. Je te reviendrai avec ma conclusion.

Maude xox

À : Queenbee@mail.com
De : MarianneVancouver@mail.com
Date : Mercredi 29 mai, 16 h 33
Objet : Ma pauvre *darling*

Salut, ma pitoune !

Hier, j'ai parlé à Lydia sur Skype et elle m'a raconté ce qui s'était passé entre José et toi. Pauvre *darling* ! Tu devais capoter quand tu as appris que Kath avait embrassé ton chum ! Je pense qu'à ta place, je serais morte d'humiliation et de peine. Elle m'a aussi dit que tu t'étais vite vengée en *frenchant* le chum *nerd* de Kath. Il n'est pas trop mon style, mais j'imagine que tous les goûts sont dans la nature !

Et là, comment ça va ? La bonne nouvelle, c'est que *hurricane* Marianne débarque en ville un peu plus tôt que prévu, soit le 29 juillet ! Plus que deux mois et je serai là pour te remonter le moral et te présenter des gars *cute* ! Mon frère Adam a gardé contact avec ses amis de Montréal, alors je suis sûre qu'on en trouvera un pour toi (évidemment, je me réserve le plus beau !).

Quand reviens-tu de ton super camp de vacances ? Il faut absolument planifier une méga boum pour célébrer mon retour dans la métropole ! J'ai TROP hâte de vous voir !

Tu me donneras des nouvelles !

Hugs et *kisses*

Marianne

Jeudi 30 mai

Lydia (en ligne): Salut! Est-ce que t'as deux minutes?

17 h 34

Maude (en ligne): Plus ou moins. Je suis pressée. Qu'est-ce qui se passe?

17 h 35

Lydia (en ligne): J'ai senti que tu étais froide avec moi aujourd'hui. Est-ce que j'ai fait quelque chose de mal?

17 h 36

Maude (en ligne): Pourquoi es-tu allée raconter ce qui s'est passé entre José et Katherine à Marianne?

17 h 36

Lydia (en ligne): Ben, elle a demandé de tes nouvelles, alors je lui ai dit. Il ne fallait pas?

17 h 37

Maude (en ligne): Non, il ne fallait pas. Elle est complètement déconnectée de la réalité.

17 h 38

Lydia (en ligne): Je m'excuse. Je ne savais pas que c'était un secret. Je ne voulais pas mal faire, Maude! Pardonne-moi, s'il te plaît!

17 h 38

Maude (en ligne): Seulement si tu me promets qu'à l'avenir tu ne lui raconteras pas mes trucs personnels! Elle n'habite pas ici, alors elle n'a pas besoin de savoir ce qui se passe dans ma vie.

17 h 38

Lydia (en ligne): Je te promets que je ne le ferai plus. C'est juste que, comme elle revient bientôt, je pensais que je pouvais la mettre au courant des derniers développements.

17 h 39

Maude (en ligne): Je gérerai son retour en temps et lieu. Pour l'instant, je n'ai pas besoin de me taper ses courriels gossants et son air supérieur. J'ai d'autres chats à fouetter.

17 h 39

Lydia (en ligne): Ah oui? Comme quoi?!

17 h 40

Maude (en ligne): Maintenant que l'exam de maths est derrière moi et que je pense avoir bien réussi, je peux me concentrer sur mes invitations pour le barbecue de samedi chez Sophie.

17 h 40

Lydia (en ligne): Cool! Tu as fait la liste?

17 h 40

Maude (en ligne): C'est simple: notre gang, Vincent et sa gang.

17 h 41

Lydia (en ligne): Je capote! C'est tellement cool de pouvoir se tenir avec eux! J'ai toujours voulu sortir avec un gars plus vieux!

17 h 41

Maude (en ligne): C'est drôle, Sophie m'a dit la même chose. Mais je pense que t'as plus de chances qu'elle. Laisse-moi voir ce que je peux faire.

17 h 42

Lydia (en ligne): T'es trop *hot*! En tout cas, on ne peut pas dire que tu chômes depuis que tu n'es plus avec José! Demain, un concert de Simple Plan, et samedi, un barbecue avec des gars populaires!

17 h 42

Maude (en ligne): Bienvenue dans ma vie.

17 h 42

Lydia (en ligne): C'est cool que t'aies finalement accepté de te joindre à Kath. On souhaite vraiment toutes que votre amitié redevienne comme avant.

17 h 43

Maude (en ligne): Ça va prendre plus qu'un concert pour en arriver là...

17 h 43

Lydia (en ligne): Je comprends.

17 h 44

Maude (en ligne): Bon, je te laisse. La blonde de mon père veut que je l'aide à couper des pousses de je-sais-pas-quoi.

17 h 44

Lydia (en ligne): OK! On se voit demain à l'école! Bisous!

Dimanche 2 juin, 10 h 49

Cher journal,

Quelle belle journée! Tout d'abord, c'est le silence chez mon père parce que Marie-Gossante a eu la brillante idée de participer au Tour de l'Île! Comme mon père est aussi sportif qu'une patate, il a gentiment décliné l'offre de se joindre à elle, ce qui va me permettre de passer plusieurs heures en sa compagnie! Il vient d'ailleurs de sortir pour acheter de quoi préparer un gros brunch. J'en profite donc pour te raconter la fin de semaine super cool que je viens de passer.

Tout a commencé vendredi soir quand j'ai accompagné Katherine au concert de Simple Plan. C'était la première fois qu'on se retrouvait seules depuis notre dispute. Quand je l'ai rejointe en face du Centre Bell, l'atmosphère était un peu tendue, et Kath semblait extrêmement nerveuse.

Kath (en me tendant un billet et en parlant très vite): Tiens! Je... Je suis vraiment contente que tu sois là. Je sais que Sophie était hyper jalouse, car elle tripe sur le groupe, mais c'est vraiment avec toi que j'avais envie de venir.

Moi : Merci.

Kath : As-tu soif ? As-tu faim ? As-tu envie d'aller aux toilettes avant que le concert commence ?

Moi : Euh, non. Toi ?

Kath : J'ai la bouche un peu sèche.

Moi : C'est peut-être parce que tu parles trop vite ?

Katherine m'a fait un drôle de sourire, puis on s'est dirigées vers nos sièges.

Kath : Ce n'est pas pire ! On voit bien !

Moi : Ouais.

Kath (en jouant nerveusement avec ses cheveux) : C'est cool, hein ? Il fait beau dehors.

J'avoue que je ne savais pas trop comment répondre à son commentaire météorologique. Heureusement pour moi, le concert a commencé avant qu'elle ne me parle d'un sujet palpitant comme l'état général des rivières du Québec.

La première partie était correcte, mais sans plus.
Pendant l'entracte, Katherine et moi sommes
allées acheter des nachos, ce qui a donné lieu à un
moment assez cocasse.

Katherine (en me tendant le bol de nachos): J'aime
vraiment tout ce qui est mexicain!
Moi (en le repoussant): Ouais, je m'en doutais pas
mal.
Katherine: Comment ça?
Moi: José, il vient d'où, tu crois?

Katherine est devenue blême, puis rouge, puis verte.

Moi: C'est drôle, ta face a justement pris les
couleurs du drapeau mexicain.

Katherine s'est immobilisée, puis elle a jeté les
nachos dans la poubelle.

Moi: Je pensais que tu raffolais des nachos?
Kath (en reprenant une teinte normale): J'ai
changé d'idée. Ça me lève le cœur, finalement.

J'ai souri, et elle aussi.

Kath : Pourquoi on ne va pas plutôt acheter de bons vieux hot-dogs ?
Moi : Bonne idée !

Quand on a regagné nos places, le groupe venait d'arriver sur scène et la foule était en délire. Katherine et moi avons dansé sur les premières chansons, mais quand ils se sont mis à jouer les premières notes de *Thank You*, Kath s'est rassise d'un air sombre.

Pour la toute première fois de ma vie, j'ai pris soin d'écouter les paroles, et c'est alors que j'ai compris son malaise.

Je croyais que je pouvais compter sur toi
Que rien ne pourrait jamais nous séparer (...)

Merci de m'avoir prouvé
Que je ne pouvais pas te faire confiance
Et merci de m'avoir menti

Tu peux oublier notre amitié et tous les bons
moments que nous avons passés ensemble

Katherine m'a regardée et a éclaté en sanglots.

Kath (en criant par-dessus la musique) : Je suis
désolée ! Je ne veux tellement pas oublier les
moments que nous avons passés ensemble, ni
que tu mettes une croix sur notre amitié ! C'est
plus important que tous les Mexicains cons du
monde !

J'ai essayé de garder mon sang-froid, mais elle
avait un air tellement sincère et désespéré que j'ai
fini par craquer.

Moi : Je m'excuse aussi. Je sais que c'était un coup
bas de me venger en *frenchant* ton chum.
Kath (en me souriant) : Mon EX-chum, tu veux
dire. Maude, je te promets que je ne laisserai plus
jamais un gars s'immiscer entre nous et je ne te
referai jamais un truc pareil.

La chanson s'est terminée sur ses promesses. Je me suis contentée de lui sourire tout en espérant secrètement qu'elle dise vrai. Je ne sais pas si notre amitié pourra vraiment redevenir comme avant, mais je suis certaine qu'elle ne survivrait pas à une autre épreuve du genre.

Après le concert, la mère de Katherine est venue nous chercher et m'a déposée chez moi. J'ai eu de la misère à dormir tant j'étais nerveuse à l'idée de me retrouver dans un barbecue avec un autre gars que José. Vincent avait évidemment accepté mon offre avec joie et m'avait confirmé qu'il viendrait avec quatre de ses amis.

Les filles et moi sommes arrivées chez Sophie vers 13 h. Les gars se sont pointés environ trente minutes plus tard. Comme il faisait très chaud, le père de Sophie avait installé une sorte de gicleur automatique dans la cour. Les filles et moi nous amusions à courir en direction du jet pour nous rafraîchir. Quand j'ai vu Vincent, je suis allée l'accueillir en souriant.

Moi (en me tordant les cheveux) : Salut! C'est cool que vous soyez venus!
Vincent (en me souriant) : Je n'aurais raté ça pour rien au monde! Depuis le temps que je te fais comprendre que tu es de mon goût.

On ne peut pas dire qu'il n'est pas direct! J'ai décidé d'adopter la même approche.

Moi : Désolée de t'avoir fait attendre, mais j'étais coincée dans une relation malsaine avec un con.
Vincent : Je suis bien d'accord avec toi!
Le père de Sophie : Qui veut manger?

Les gars se sont évidemment jetés sur la nourriture. Vincent est revenu vers moi en me tendant un hamburger.

Vincent : Tiens. Tu as l'air d'une fille qui aime ça tout garni!
Moi : Wow! Impressionnant. Comment as-tu deviné?
Vincent : Je ne dévoilerai pas mes secrets tout de suite!

Nous avons continué à flirter innocemment pendant une bonne partie de l'après-midi. Ça me faisait du bien de sentir que je plaisais à un garçon, mais j'avoue que ça me demandait plus d'énergie que je ne l'aurais cru. Vincent est pourtant un gars *cute*, gentil, mature et attentionné, mais j'ai l'impression que mon histoire avec José a un peu ébranlé ma confiance.

Le père de Sophie : Bon, je vais faire la vaisselle. Quelqu'un a une demande spéciale avant que je rentre ?
Moi : Oh, oui ! Pouvez-vous prendre quelques photos du groupe ?
Le père de Sophie (en prenant mon appareil) : Avec plaisir !

Nous nous sommes tous réunis près du barbecue pour prendre les clichés et j'ai pris soin de me coller un peu plus sur Vincent.

Moi (en reprenant mon appareil) : Cool ! Ça va faire de beaux souvenirs !

Vincent (en prenant ma main): J'aurais bien aimé qu'il continue à prendre des photos. J'aimais ça t'avoir près de moi.

C'était bien beau la drague, mais je n'étais pas prête à aller plus loin. Il fallait trouver une façon de faire dévier la conversation. C'est alors que j'ai aperçu Sophie et Lydia qui parlaient à l'un de ses amis.

Moi (en détachant subtilement ma main de la sienne pour pointer en leur direction): Oups. On dirait que mes copines ont choisi la même cible!
Vincent: Crois-moi, JF est sûrement content de recevoir autant d'attention.
Moi: Et de façon générale, est-ce qu'il préfère les rousses ou les brunes?
Vincent: Je pense qu'il s'en fout un peu. Il va choisir celle qui est la plus drôle et la plus vive d'esprit.

Ouf. Pas évident, mais je donne l'avantage à Lydia.

Les gars ont annoncé qu'ils devaient partir quelques minutes plus tard.

Vincent : Alors ? Est-ce que je vais avoir la chance de te revoir avant l'année prochaine ?

Moi (en jouant à la fille mystérieuse) : Peut-être...

Vincent : Si je t'invitais tout de suite à aller au cinéma la fin de semaine prochaine, tu me dirais oui ?

Moi (en me faisant désirer) : Je sais pas trop...

Vincent : Si je te laissais choisir le film ?

Moi (en tendant ma main) : Alors j'accepterais ton offre.

Il a serré ma main et il est parti en souriant. Jeanne, Katherine, Sophie et Lydia se sont aussitôt précipitées vers moi pour me bombarder de commentaires de toutes sortes.

Sophie : Wow ! Il était tellement après toi !

Katherine : Mets-en ! C'est à peine s'il te laissait aller aux toilettes.

Lydia : Chanceuse !

Jeanne : Moi, je le trouve un peu intense.

Lydia : Ouais, mais toi, t'es bizarre. Tu as toujours besoin de ton espace.

Jeanne : Je ne suis pas bizarre ! Je n'ai juste pas

besoin d'un gars pour vivre.

Sophie : Moi, j'aimerais ça qu'un gars me regarde
avec ces yeux-là !

Jeanne : Moi, je paniquerais.

Katherine : Es-tu intéressée, Maude ?

Lydia : Et penses-tu que j'ai une chance avec JF ?

Sophie : Eille ! JF, il est à moi.

Lydia : Rapport !

Moi : Relaxez, les filles ! Vous me donnez mal à la tête !

Katherine : Désolée, mais on est excitées pour toi !
Est-ce qu'il te plaît ?

Moi : Il est *cute*. Et gentil.

Sophie : Mets-en !

Jeanne : Et aussi très *groupie*.

Katherine : Ça va faire changement d'avoir autant
d'attention. Tu le mérites, Maude !

Lydia : Je me demande si JF est intense, comme gars.

Sophie : En tout cas, il me regardait avec des yeux
perçants.

Lydia : Rapport !

Les filles ont continué à déblatérer jusqu'à ce
que le père de Sophie vienne nous annoncer que

la mère de Jeanne était arrivée. Elles m'ont déposée à la maison. Dès que je suis rentrée chez moi, j'ai pris soin de télécharger les photos prises au cours de la journée afin de les mettre sur Facebook. Je veux m'assurer que José sache que je ne perds pas une minute pour me remettre de notre séparation et que ma vie va beaucoup mieux sans lui.

D'ailleurs, c'est son anniversaire demain. La seule chose que je compte lui offrir, c'est un poignard au cœur en me voyant aux côtés de Vincent. Pour le reste, sa fête m'énerve au plus haut point. Je n'ai pas envie que les gens lui accordent de l'attention et encore moins qu'ils le célèbrent.

Une autre qui m'énerve ces temps-ci, c'est Marianne. Lydia s'est ouvert la trappe et lui a raconté que je n'étais plus avec José, et madame s'est permis de m'écrire un courriel rempli de pitié. Ark. En plus, elle s'imagine que son retour va changer le monde, que grâce à elle, je pourrai retrouver l'amour. Elle se prend vraiment pour une

autre, celle-là. Je vais lui montrer que je n'ai pas
besoin d'elle pour retomber sur mes pattes!

Bon, je te laisse! Mon père vient de rentrer et
je veux profiter de lui avant que sa blonde ne
revienne et accapare toute son attention.

Maude xox

À : Queenbee@mail.com
De : Vivajose@mail.com
Date : Mardi 4 juin, 21 h 58
Objet : Ark !

Salut.

Ne t'en fais pas, je ne t'écris pas pour te supplier de revenir avec moi. Je pense que je me suis déjà assez humilié comme ça. Je voulais juste que tu saches à quel point je suis déçu.

Tu ne me dois plus rien et tu m'as fait comprendre très clairement que c'était vraiment fini entre nous, mais je ne croyais pas que tu descendrais aussi bas. Vincent Fortin ? Vraiment ? J'ai vu tes photos sur Facebook, et j'ai aussi remarqué qu'il te tournait autour à l'école. Je n'en reviens pas que tu tombes dans son piège. J'espère que tu réalises que ce gars-là ne m'a jamais aimé, et qu'il te *cruise* visiblement juste pour me faire suer. En tout cas, la Maude que je connaissais n'aurait pas été assez cruche pour embarquer dans son jeu. Ça prouve à quel point tu as changé.

En passant, c'est un peu poche de m'avoir ignoré hier. Il me semble que tu aurais pu m'accorder une seconde de ton temps le jour de ma fête, mais il faut croire que tout ce qu'on a vécu ne compte plus du tout pour toi.

José

Jeudi 6 juin

20 h 32

Jeanne (en ligne): Salut! Es-tu chez toi? J'ai besoin de t'appeler. Il y a un exercice que je ne comprends pas dans le devoir de maths.

20 h 33

Maude (en ligne): Ouais, mais je ne sais pas si je vais pouvoir t'aider. J'ai vraiment de la misère à me concentrer cette semaine.

20 h 33

Jeanne (en ligne): Laisse-moi deviner: c'est José, encore?

20 h 34

Maude (en ligne): Ouais, je n'arrive pas à oublier son courriel.

20 h 34

Jeanne (en ligne): Ne tombe pas dans son piège, Maude. José te manipule et comme il sent que tu lui glisses entre les doigts, il essaie d'attirer ton attention en piquant là où ça fait mal.

20 h 35

Maude (en ligne): Ouais, t'as raison. C'est fou comme il a le don de jouer avec ma tête! Je commençais même à douter de la sincérité de Vincent à cause de lui!

Jeanne (en ligne): Ça fait quatre jours qu'il te colle comme une mouche; je pense que tu peux arrêter de douter.

20 h 36

Maude (en ligne): Merci de me rassurer et de me ramener les deux pieds sur terre. Si José veut jouer ce jeu-là, je vais m'arranger pour lui prouver que c'est de plus en plus sérieux entre Vincent et moi.

20 h 37

Jeanne (en ligne): Ce qui est intéressant, c'est que ton intérêt pour Vincent est directement proportionnel à ta haine envers José.

20 h 38

Maude (en ligne): Qu'est-ce que tu essaies de me dire?

20 h 38

Jeanne (en ligne): De ne pas y aller trop vite si tu n'éprouves pas de sentiments sincères pour lui.

20 h 39

Maude (en ligne): Ne t'en fais pas pour ça. Je me suis même arrangée pour qu'on ait des chaperons samedi soir!

20 h 39

Jeanne (en ligne): Hum? Des détails, s'il te plaît?

20 h 40

Maude (en ligne): Ben, je me suis dit que ce serait peut-être mieux d'organiser une sortie à quatre, question de pouvoir le charmer tout en gardant mes distances.

20 h 40

Jeanne (en ligne): Si tu m'annonces que tu m'as encore imposé un chum, je t'arrache la tête!

20 h 41

Maude (en ligne): T'inquiètes! J'ai déjà compris que tu n'étais pas la plus douée dans ce domaine. J'ai plutôt fait appel à Lydia.

20 h 41

Jeanne (en ligne): Et avec qui veux-tu la *matcher*? Pas Jean-François, toujours?

20 h 42

Maude (en ligne): Bingo! Elle n'arrête pas de me parler de lui, alors je me suis dit que je ferais d'une pierre deux coups!

20 h 43

Jeanne (en ligne): C'est une très mauvaise idée.

20 h 43

Maude (en ligne): Pourquoi?

20 h 43

Jeanne (en ligne): Parce que je suis certaine à 110 % que Sophie va CAPOTER quand elle va l'apprendre.

20 h 43

Maude (en ligne): Ne t'en fais pas. J'ai demandé à Lydia de tenir ça mort jusqu'à nouvel ordre. Je me suis dit que si jamais ça cliquait entre elle et JF, je lui laisserais le soin de lui annoncer, et que si jamais ça ne marchait pas, je passerais au plan B.

20 h 44

Jeanne (en ligne): Quel plan B?

20 h 44

Maude (en ligne): Sophie, c't'affaire!

20 h 44

Jeanne (en ligne): En résumé, tu veux que Lydia et JF forment un couple, mais si jamais ça ne marche pas, tu vas t'arranger pour le *matcher* avec Sophie?

20 h 45

Maude (en ligne): Exact! Comme ça, je mets toutes les chances de mon côté. Je suis pas mal certaine d'avoir un couple qui m'accompagne lors de mes sorties avec Vincent! Avoue que mon ingéniosité t'inspire et t'impressionne!

20 h 46

Jeanne (en ligne): Je dirais plutôt que ton côté machiavélique empire avec le temps...

20 h 46

Maude (en ligne): Bah! C'est pour ça que tu m'aimes! Je vais t'appeler dans deux minutes pour qu'on fasse l'exercice de maths ensemble.

20 h 47

Jeanne (en ligne): Cool! À tout de suite! xx

Chapitre 7 :
Le prince collant

Samedi 8 juin, 23 h 25

Cher journal,

Ma sortie de cet après-midi avec Vincent au cinéma a été plutôt réussie. Son ami Jean-François et Lydia étaient avec nous, ce qui m'enlevait énormément de pression.

Leur présence n'a toutefois pas empêché Vincent de me prendre la main pendant le film. Je l'ai observé du coin de l'œil et j'ai remarqué qu'il me fixait. Pensait-il que j'allais me retourner vers lui, le regarder droit dans les yeux et l'embrasser passionnément? Peut-être. Après tout, j'avais flirté avec lui et j'avais accepté son invitation au cinéma.

Le problème, c'est que plus les jours passent, et plus je réalise que je ne veux pas que ça aille plus loin entre lui et moi. Il est charmant, mais il ne m'intéresse pas et son intensité me terrifie un peu. Le hic, c'est que je ne veux pas non plus le rejeter, puisque je sais que sa présence à mes côtés agace José au plus haut point. C'est vraiment très amusant de le voir pomper tous les midis lorsque Vincent s'assoit près de moi à la cafétéria ou vient me retrouver à mon casier.

Pendant le film, je me suis donc mise à imaginer une stratégie pour profiter de Vincent et de ses petites attentions jusqu'à la fin de l'année scolaire, sans toutefois qu'il ne se passe rien entre nous. Jeanne me dirait que ça n'a aucun sens, que je ne peux pas exploiter les gens ainsi et que je dois préserver leurs sentiments, mais je ne suis pas de son avis.

Après tout, il faut que je pense à mes propres intérêts. Il ne reste que deux semaines d'école, alors je suis certaine qu'il ne va pas en mourir.

J'ai essayé de me concentrer à nouveau sur le film, mais n'arrivais plus à en suivre la trame dramatique. J'ai donc jeté un coup d'œil vers Lydia et JF qui étaient tous les deux captivés par le grand écran. J'avais bien hâte de voir si quelque chose allait se passer entre les deux.

À la fin du film, Vincent a proposé qu'on aille manger quelque chose.

Moi : C'est impossible pour moi. Ma mère m'attend.
Vincent (en me regardant dans les yeux) : Dommage. J'aurais aimé passer plus de temps avec toi. Tu veux qu'on aille s'asseoir un peu dans le petit parc là-bas, question de se dire au revoir en toute intimité ?
Moi : Euh. Non, merci. Je dois vraiment y aller.
Vincent (en m'attirant vers lui, prêt à m'embrasser) : Bon... Est-ce que je peux au moins avoir un bisou avant de partir ?

Oh, oh. Il fallait improviser quelque chose au plus vite.

Moi (en l'embrassant sur une joue) : OK. *Ciao !* Merci pour le cinéma.
Vincent (en faisant une moue triste) : C'est tout ?
Moi (en prenant un air sincère et grave) : Écoute... Je ne veux surtout pas que tu interprètes ça comme un manque d'intérêt, mais je veux prendre mon temps. Je viens juste de terminer une relation, et j'ai de la difficulté à m'ouvrir complètement

et à faire confiance aux autres, tu comprends? J'aimerais vraiment que ça fonctionne entre nous, mais j'ai besoin que tu sois patient.

Vincent (en souriant): Je m'excuse, Maude. Je ne voulais surtout pas avoir l'air trop agressif. Je te respecte beaucoup. C'est évident que je vais être patient. Ça fait deux ans que je t'attends. Ce n'est pas quelques semaines de plus qui vont me tuer.

1 à 0 pour moi.

Moi (en lui tapotant l'épaule): Cool! Merci d'être aussi compréhensif.

Vincent (un peu étonné par mon geste): Euh. De rien.

Moi (en me tournant vers Lydia): Alors, tu viens?

Lydia avait la tête légèrement inclinée et observait JF avec un air niais.

Moi: Hé-oh! La Terre appelle Lydia.

Lydia (en sortant de sa torpeur): Hein? Quoi?

Moi: J'y vais. Tu m'accompagnes?

Lydia : Euh OK. À moins que JF ait envie d'aller dans le petit parc, lui aussi…

Elle a lancé un regard langoureux et suppliant à Jean-François, qui a immédiatement détourné les yeux. Il avait l'air mal à l'aise. Ça regardait mal pour l'avenir de leur << couple >>.

JF : Euh. Ouais, ce n'est pas l'envie qui manque… mais… euh… Je… Je ne veux pas laisser mon pauvre ami Vincent seul ici. On se reprendra, OK ?
Lydia (en souriant sans comprendre) : OK ! J'ai déjà hâte ! Bye !

Lydia et moi avons marché jusqu'au métro.

Lydia : *OMG !* Il est TELLEMENT *cute* ! Je pense que ça clique vraiment entre nous.
Moi : Ouin… Je n'en suis pas si certaine. Je l'ai trouvé un peu froid avec toi.
Lydia (en s'arrêtant net) : Hein ? Je n'ai pas senti ça, moi !
Moi : Non, parce que t'étais comme hypnotisée par

lui, mais fie-toi à mon instinct : je pense qu'il te trouve trop dépendante.

Lydia (la mine basse) : Oh. Ben là ! Je fais quoi, maintenant ?

Moi : Agis comme moi et garde tes distances ! Joue à la fille mystérieuse ! Fais-lui croire que tu es libre et que tu n'as pas envie te faire enchaîner.

Lydia (les yeux ronds) : OK. Je vais l'appeler ce soir pour lui dire que je suis devenue indépendante.

Moi : Non ! Ne l'appelle surtout pas ! Ce n'est pas le genre de choses qui se dit, Lydia. C'est le genre de chose que tu dois faire à son insu.

Lydia : Je ne sais pas c'est qui << Insu >>.

Moi (d'un ton découragé) : Ce que je veux dire, c'est qu'il ne faut pas qu'il se doute que c'est une attitude. Il faut qu'il s'imagine que tu es vraiment une fille indépendante.

Lydia : C'est compliqué, ton affaire. Tout ce que je veux, c'est sortir avec lui !

Moi : Je sais, mais ça n'arrivera pas si tu continues à le regarder comme s'il était un dieu.

Lydia est restée songeuse pendant quelques instants.

Lydia : OK. Je ne vais pas l'appeler. Je vais peut-être juste le texter.

J'ai soupiré. C'était une cause désespérée.

Quand je suis rentrée chez moi, ma mère était en train de concocter une soupe asiatique en chantonnant.

Moi : Qu'est-ce que tu fais ? Ça sent bon !
Ma mère : Je prépare une recette que j'ai apprise dans mon dernier cours de << cuisine du monde >>.
Moi (en m'assoyant sur un banc près du comptoir) : Tiens, tiens... Après la salsa, la bicyclette, le yoga et la photographie, tu as décidé de te lancer dans la cuisine internationale ?
Ma mère : Oui. C'est stimulant d'essayer de nouvelles choses.
Moi : Si tu continues comme ça, tu vas ressembler à ta fausse identité sur Réseau Amour !
Ma mère : En fait, c'est justement ton profil qui

m'a inspirée.

Moi : Hein ? T'as consulté le profil que je t'ai créé
avant que je ne l'efface ?

Ma mère : Ouais… J'étais curieuse de voir quel genre
de personnalité tu avais imaginé pour ta mère…

Moi : Et ?

Ma mère : Et… C'était un peu déprimant, car je
trouvais que la fausse Valérie avait l'air plus le *fun*
que la vraie. C'est pour ça que je me suis lancée
dans plein de nouvelles activités.

Moi : Tu vois ? Je savais que j'avais bien fait de ne
pas me mêler de mes affaires !

Ma mère : N'exagère pas, quand même ! Mais
j'avoue que depuis que je bouge plus et que je
m'implique, je me sens revivre.

Moi : Je suis contente que ta nouvelle passion
pour la danse latine et les plats internationaux te
rendent aussi souriante, maman !

Ma mère s'est mordu la lèvre et a semblé hésitante.

Moi : Pourquoi fais-tu cette face-là ?

Ma mère (d'un ton nerveux) : Pour rien.

Moi (en fronçant les sourcils) : Maman ?

Ma mère (en regardant ailleurs) : Oui ?

Moi : Ton nez est en train de rallonger. Qu'est-ce que tu me caches ?

Ma mère m'a regardée, puis elle a laissé tomber son échalote et elle est venue s'installer auprès de moi.

Ma mère : J'ai peut-être une autre raison de sourire.

Moi : Des détails, s'il te plaît !

Ma mère : Quand j'ai consulté le profil que tu avais créé, j'en ai aussi profité pour regarder celui de l'homme dont tu m'avais parlé.

Moi : Qui ça ? Martin ?

Ma mère (d'une petite voix) : Oui...

Moi : Comment t'y es-tu prise ? Je ne t'avais pas donné mon mot de passe, pourtant...

Ma mère : Non, mais tu m'avais dit que son nom était Étincelle, alors je l'ai vite repéré.

Moi : Tu es allée espionner sa page ?

Ma mère : J'ai essayé, mais j'avais seulement accès à sa photo de profil !

Moi : Et qu'est-ce que tu en as pensé?

Ma mère : Que c'était troublant à quel point ma fille connaissait mes goûts!

Moi : Ah! Je savais qu'il te plairait!

Elle m'a regardée d'un drôle d'air.

Ma mère : Si je te raconte la suite, tu me promets de ne pas te moquer de moi?

Moi : Juré, craché.

Ma mère : Toute cette aventure avait vraiment piqué ma curiosité... alors j'ai décidé de créer un nouveau compte. Un qui reflétait la réalité, cette fois.

Moi : Quoi? Tu t'es vraiment inscrite sur Réseau Amour?

Ma mère (sur la défensive) : Oui, mais c'était juste par curiosité!

Moi : En as-tu profité pour aller consulter le profil de Martin?

Ma mère : Oui, et j'avoue que sa description m'a plu.

Moi (en applaudissant) : Je le savais tellement! Laisse-moi deviner : il était tellement content de te voir réapparaître en ligne qu'il t'a tout de suite proposé un souper en amoureux?

Ma mère : Pas exactement. Disons que sur le coup, je n'ai pas osé lui écrire.

Moi : Pourquoi?

Ma mère : Parce que je ne me sentais pas à la hauteur de la Valérie athlétique, ambitieuse, aventurière, intellectuelle, fonceuse et audacieuse que tu avais inventée de toutes pièces et que j'avais peur qu'il soit déçu en découvrant ma vraie personnalité.

Moi : Oups. Désolée, maman...

Ma mère : C'est correct. C'était une autre motivation à me secouer les puces et à être plus entreprenante. C'est comme si la femme que tu avais décrite était une version améliorée de moi, et que j'avais envie de lui ressembler.

Moi : Moi, je trouve que tu es parfaite comme tu es.

Ma mère : C'est gentil, ma chérie.

Moi : Et je trouve ça cool que tu te sois inscrite sur un site de rencontres.

Ma mère : Moi aussi, finalement! J'avais des doutes, mais ça m'a fait un bien fou de recevoir des messages d'hommes qui me trouvaient jolie et qui avaient envie d'en apprendre plus sur moi! On dirait que ça m'a redonné confiance.

Moi : Assez confiance pour contacter Martin.

Ma mère (en souriant) : Oui. La semaine dernière, j'ai finalement pris mon courage à deux mains et je lui ai écrit. J'ai décidé d'être honnête avec lui. Je lui ai donc parlé de ton plan machiavélique, de mon divorce, de mes vrais champs d'intérêt et de mon envie de sortir de ma zone de confort.

Moi : Tu lui as parlé de moi?

Ma mère : Oui. Je me suis excusée en lui expliquant que tu étais une ado qui débordait un peu trop d'imagination et qui avait tendance à se mêler de ce qui ne la regardait pas.

Moi : Bon, bon, j'ai compris. Et? Il t'a répondu?

Ma mère : Oui! Quand j'ai vu son nom dans ma boîte de courriels, je m'attendais à ce qu'il me rejette du revers de la main, mais à ma grande surprise, il m'a écrit que même s'il avait un peu honte d'avoir été si naïf et d'être tombé dans le panneau, il était flatté que ma fille ait pensé qu'il était un homme capable de convenir à une femme aussi spectaculaire que moi.

Moi (en frappant la table): *OH! MY! GOD!*

Ma mère (en rougissant): Je sais.

Moi: J'espère que tu l'as relancé!

Ma mère: Oui. Je lui ai dit que le moindre que je puisse faire pour réparer ton erreur était de l'inviter à souper.

Moi (en applaudissant): Bravo, maman! Ingénieux, comme approche! Et?

Ma mère (d'un air euphorique): Et il a accepté!

Moi: Je capote! Tu vas avoir une *date* avec Martin?

Ma mère (en détournant le regard): En fait... J'ai déjà eu trois rencarts.

Moi (en me levant d'un bond): QUOI? Tu sors avec lui et tu ne m'avais rien dit?

Ma mère (en souriant à pleines dents): C'est tout nouveau, alors je préférais attendre!

Moi: Si je n'étais pas aussi heureuse, je te bouderais! Maman, je suis trop contente pour toi! Et je savais que c'était l'homme de ta vie!

Ma mère: C'est encore tôt pour parler du futur, mais disons que ça clique beaucoup entre nous.

Moi (en claquant des mains): J'ai tellement hâte de le rencontrer!! D'ailleurs, pourquoi on ne l'invite pas ce soir?

Ma mère : Non, non! Je ne suis pas encore prête à te le présenter. Une chose à la fois, OK?

Moi (d'un ton déçu) : OK, mais n'oublie pas que c'est grâce à moi que tu as un chum!

Ma mère (en rougissant encore plus) : Ce n'est pas << mon chum >>.

Moi : Ouais, c'est ça!

Elle a passé le reste de la soirée à me raconter leurs rendez-vous dans les moindres détails et à me parler de Martin avec des cœurs dans les yeux. Je n'en reviens pas! Je suis tellement contente que ça ait cliqué entre eux! En tout cas, je viens de me découvrir un super talent d'entremetteuse! Si jamais un jour ma carrière de mannequin bat de l'aile, je sais que je pourrai diriger un site de rencontres et aider les gens à trouver l'amour!

Si seulement je pouvais faire la même chose avec mon père, il ne sortirait pas avec la fille la plus imbuvable de la planète!

Maude xox

À : MarianneVancouver@mail.com
De : Queenbee@mail.com
Date : Mardi 11 juin, 15 h 58
Objet : Ma nouvelle vie

Salut,

C'est gentil de m'avoir écrit, mais tu n'as pas à t'en faire pour moi. Non seulement je me suis vengée de Katherine en embrassant son chum, mais je me suis déjà refait une vie et ça va SUPER bien.

Je fréquente un gars de secondaire 3 qui me court après depuis toujours et je ne pense plus à José. Tu me connais : je suis forte et je ne suis pas du genre à me laisser abattre pour un gars. Le perdant dans tout ça, c'est José. Il a l'air misérable et je sais que je lui manque terriblement. Tant pis pour lui !

Je pars pour mon stage le 3 juillet, mais je devrais être de retour en ville pour ton arrivée (à moins que je décroche un super contrat pendant mon séjour aux États-Unis) ! On s'arrangera pour organiser quelque chose pour l'occasion. Peut-être que Vincent, mon nouveau chum, voudra faire un party chez lui.

J'espère que ta fin d'année n'est pas trop *rushante*. Ici, ça va. On est en train de réviser les matières en prévision des examens de la semaine prochaine, et je me sens prête. Après ça, c'est Bye-bye Montréal, et *Hello* Maine !

À bientôt !

Maude

Vendredi 14 juin

19 h 31

Maude (en ligne): Hey! Je m'apprêtais justement à t'appeler!

19 h 31

Sophie (en ligne): Ah! Pourtant je n'ai pas entendu sonner.

19 h 32

Maude (en ligne): C'est assez logique puisque je n'avais pas encore signalé ton numéro... Qu'est-ce que tu faisais?

19 h 32

Sophie (en ligne): Je mettais de l'ordre dans mes affaires pour me préparer pour les examens de la semaine prochaine.

19 h 33

Maude (en ligne): Je pense que si t'étudies, ça va être plus productif que si tu fais du ménage.

19 h 33

Sophie (en ligne): Je sais, mais ça ne me tente pas d'étudier! On a passé la semaine à réviser, et là, j'ai besoin d'une pause.

19 h 34

Maude (en ligne): Ça tombe bien, car j'allais justement te proposer une activité.

19 h 34

Sophie (en ligne): Cool! Quoi?

19 h 35

Maude (en ligne): Vincent m'a invitée à aller me balader demain après-midi au parc Lafontaine. J'en ai profité pour demander à JF de se joindre à nous.

19 h 35

Sophie (en ligne): OK, mais il va pas se sentir rejet?

19 h 35

Maude (en ligne): Non, parce qu'il sera accompagné, lui aussi...

19 h 36

Sophie (en ligne): Ah ouais? Par qui?

19 h 36

Maude (en ligne): Penses-y, deux minutes.

19 h 37

Sophie (en ligne): Euh. Je ne sais vraiment pas.

19 h 37

Maude (en ligne): Par toi, niaiseuse! C'est pour ça que je viens de te proposer de faire une activité!

19 h 39

Sophie (en ligne): Trop cool! Je suis vraiment contente! Mais j'avoue que je suis étonnée qu'il ait envie de se joindre à moi; il a été *full* distant cette semaine!

Maude (en ligne): Garde ça pour toi, mais c'est Lydia qu'il fuyait. Il sait qu'elle tripe sur lui et il n'est pas intéressé.

19 h 39

Sophie (en ligne): OH! Et tu penses qu'il a un *kick* sur moi?

19 h 40

Maude (en ligne): Je ne sais pas avec certitude, mais comme il n'a pas hésité une seconde quand je lui ai offert de venir, ça regarde plutôt bien!

19 h 41

Sophie (en ligne): *Oh. My. God.* Comment je devrais m'habiller?

19 h 41

Maude (en ligne): Viens chez nous demain midi (je suis chez mon père). Je te prêterai quelque chose.

19 h 42

Sophie (en ligne): Merci, Maude. T'es trop fine! Mais t'es sûre que ça ne te dérange pas qu'on se joigne à vous? C'est pas mal moins romantique à quatre!

19 h 43

Maude (en ligne): Justement; ça fait mon affaire. Vincent est trop intense des fois, alors ce n'est pas mauvais de lui calmer les ardeurs!

19 h 43

Sophie (en ligne): C'est vrai qu'il ne t'a pas lâchée d'une semelle à l'école. Cool, alors! Je te rejoindrai demain vers midi!

19 h 44

Maude (en ligne): Une dernière petite chose: n'en parle pas aux autres, OK? Je ne voudrais pas que Lydia ait de la peine pour rien.

19 h 44

Sophie (en ligne): Promis!

Lydia vient de se joindre à la conversation

19 h 45

Sophie (en ligne): Tiens, parlant du loup!

19 h 45

Lydia (en ligne): Pourquoi tu dis ça? Vous parliez de moi?

19 h 46

Sophie (en ligne): Euh. Non, non! Bon, il faut que j'y aille. J'ai du ménage à faire. *Ciao!* À demain, Maude!

Sophie s'est déconnectée

19 h 46

Lydia (en ligne): Qu'est-ce que vous faites demain?

19 h 47

Maude (en ligne): On construit un nouveau cerveau pour Sophie.

19 h 47

Lydia (en ligne): Hein, pour vrai?

19 h 48

Maude (en ligne): Ouais, c'est un projet en sciences. On va aussi réviser des verbes d'anglais au téléphone. Mais assez parlé de l'école. Ça va, toi?

19 h 48

Lydia (en ligne): Non. JF m'ignore depuis mon texto de la fin de semaine dernière.

19 h 49

Maude (en ligne): Je t'avais pourtant dit de ne pas lui donner de nouvelles.

19 h 49

Lydia (en ligne): Je sais, mais je n'ai pas pu résister à la tentation. Ça me rend un peu triste, tout ça. Je pensais donc aller au cinéma demain après-midi pour me changer les idées. As-tu envie de m'accompagner?

19 h 50

Maude (en ligne): Je ne peux pas. Je vais au yoga avec la blonde de mon père.

19 h 51

Lydia (en ligne): T'es tellement chanceuse d'avoir une belle-mère aussi cool avec qui tu peux faire des activités!

19 h 51

Maude (en ligne): Tout est une question de perspective. Bon, je dois y aller. J'ai de l'étude! On se parle plus tard!

19 h 52

Lydia (en ligne): OK! À plus! xox

Mardi 18 juin, 17 h 33

Cher journal,

Je suis complètement brûlée. J'avais un examen
de français hier et un autre de mathématiques
aujourd'hui, et je pense que mon cerveau est en
panne. En plus, ma fin de semaine n'a pas été de
tout repos. Non seulement j'ai dû passer des heures
à réviser, mais samedi, j'ai aussi eu à endurer
le regard langoureux de Vincent alors qu'on se
promenait au parc.

J'avais convaincu JF de donner une chance à Sophie
(il était un peu réticent après l'échec retentissant de
sa sortie avec Lydia) pour qu'ils se joignent à nous et
qu'ils me permettent de respirer un peu, mais dès que
nous sommes arrivés à destination, Vincent a suggéré
à Jean-François et Sophie d'aller voir les canards pour
qu'on puisse avoir un moment tous les deux.

Moi : Tu sais, c'est pas très gentil de les rejeter
comme ça !

Vincent: Je suis sûr qu'ils vont s'en remettre. J'ai envie d'être un peu seul avec toi.

Il m'a attirée vers un banc et m'a pris les mains en me regardant intensément dans les yeux.

Moi (en détournant le regard): Ah! Regarde! Ils nourrissent les canards! Tu n'as pas envie d'y aller?
Vincent: Non. Je veux rester ici, avec toi.
Moi (en me détachant un peu): Ouais, mais j'ai chaud, ici. J'aime mieux aller à l'ombre.

Je me suis levée en vitesse pour rejoindre Jean-François et Sophie. Cette dernière m'a fait de gros yeux, mais je l'ai ignorée. Elle voulait profiter de ces moments pour se rapprocher de son *kick*, mais il n'était pas question que je croupisse toute seule avec M. Collant.

J'ai passé près de deux heures à entretenir la conversation et à m'arranger pour que Sophie et Jean-François restent tout le temps avec nous. Vers la fin de la journée, j'ai proposé qu'on prenne un *selfie* de nous quatre, question de mettre la photo sur Facebook à l'intention de José.

Moi (en rangeant mon appareil) : Bon, il va falloir que j'y aille, moi. J'ai encore de l'étude à faire.
Sophie (en faisant la moue) : Moi aussi.
Jean-François : C'est dommage.

Il avait l'air plus motivé qu'avec Lydia.

Vincent : Maude, je peux te parler en privé deux secondes ?

Misère. Je l'ai suivi un peu plus loin.

Moi : Que se passe-t-il ?
Vincent : Je sais que tu m'as demandé d'être patient, mais j'avoue que ce que je ressens pour toi est tellement fort que j'ai de la difficulté à me contenir. C'est pour ça que je t'ai écrit un poème.

Il m'a tendu une enveloppe et j'ai souri, mal à l'aise. Comment étais-je censée réagir ?

<< Merci, mais je n'aime pas la poésie >>
ou alors << C'est gentil, mais je pense te
flusher d'ici une semaine, alors ce n'était pas
nécessaire >> ?

Moi : Euh. Merci.
Lui (en me regardant avec de grands yeux) : Tu ne
l'ouvres pas ?
Moi : C'est que... Je préfère le lire toute seule. Dans
l'intimité.
Lui (d'un air déçu) : OK...
Moi (en rejoignant les autres) : Bon, on y va,
Sophie ?
Sophie : Ouais. À bientôt, Jean-François ! C'était cool
de passer la journée avec toi !
Jean-François : Ouais. On refera ça, un moment
donné.
Sophie (en me soufflant dans l'oreille) : *Oh my
God!* << Un moment donné >>, est-ce que ça
peut être demain ?
Moi : Relaxe, chérie. Laisse-le respirer, un peu. C'est
comme ça que Lydia l'a fait fuir.

Nous avons marché jusqu'à l'arrêt d'autobus.

Sophie : Pourquoi Vincent voulait te voir en privé ?
Moi : Il voulait me donner un poème.
Sophie : OH ! C'est TELLEMENT romantique !
Moi : Et surtout très quétaine.
Sophie : Mais non ! Allez, lis-moi-le.

J'ai ouvert l'enveloppe et j'ai sorti une feuille de papier pliée méticuleusement.

Ton prince charmant

Maude la farouche, Maude aux yeux de chat.
Je ressens tellement d'amour pour toi.
Mon cœur bat très vite quand je te vois.
Nous sommes faits l'un pour l'autre, ne crois-tu pas ?

Pour toi, je serai patient.
Je serai comme un prince charmant.
Tu fais de moi un gars galant.
Un naufragé perdu dans ton océan.

Je donnerais n'importe quoi pour un baiser.
Tu es ma reine enchantée.

Vincent, ton prince charmant

Sophie : Awwww ! C'est tellement beau ! Tu es sa princesse !
Moi : Ark ! Il faut absolument que je le laisse.
Sophie : Mais non ! Il est tellement gentil !
Moi : Et tellement... Beurk ! Il n'est pas un prince charmant ; il est un prince collant !
Sophie : Le problème, c'est que tu vois tout en noir ! Par ce poème, il essaie d'exprimer ce qu'il ressent et il te montre à quel point tu es sa reine !

J'ai laissé Sophie déblatérer sans l'écouter. Quand je suis rentrée chez moi, j'étais (presque) contente d'entendre Marie-Gossante me parler des vertus du houmous.

Après le souper, j'ai publié notre *selfie* sur ma page. Le téléphone a sonné trois minutes plus tard. J'espérais secrètement qu'il s'agisse de José qui me dise qu'il ne supportait plus de me voir aux côtés de son ennemi juré et qui me suppliait de revenir avec lui. J'ai toutefois été très déçue quand j'ai entendu la voix de Lydia.

Lydia (d'un air fâché): C'est quoi, l'affaire?
Moi: Hein? De quoi tu parles?
Lydia: Ben là! Je le sais que tu as passé la journée avec Sophie, Vincent et JF! Je comprends que tu aies envie d'emmener ton nouveau chum au yoga, mais étais-tu obligée d'inviter les deux autres?

Oups! J'avais complètement oublié Lydia.

Moi: Euh. Quel yoga?
Lydia: Ben, le yoga avec ta belle-mère! D'ailleurs, ça doit être sérieux entre Vincent et toi pour que tu le présentes déjà à ta famille!

Mon cours fictif avec Marie-Gossante m'était aussi sorti de l'esprit.

Moi : Pas vraiment. Je vais casser, en fait.

Lydia : Comment ça ?

Moi : Parce qu'il est trop pot de colle et que je ne suis pas amoureuse de lui.

Lydia : OK, mais moi, je suis amoureuse de JF, bon ! Et je trouve ça poche que tu aies proposé à Sophie de se joindre à vous plutôt que de m'inviter.

J'ai poussé un soupir. Tout ça me donnait mal à la tête.

Moi : Écoute, Lydia, je ne passerai pas par quatre chemins : Jean-François ne veut pas sortir avec toi, et je n'avais pas envie d'être seule avec Vin-Nervant, alors j'ai demandé à Sophie de nous accompagner.

Lydia : C'est qui Vin-Nervant ?

Moi : C'est Vincent le prince collant.

Lydia : Hein ?

Moi : Laisse faire. Bref, je suis désolée, mais ça ne vaut pas la peine que tu t'acharnes sur lui.

Lydia (d'un ton éploré) : Ben là ! Je vais faire quoi, maintenant ?

Moi : Je ne sais pas. Te trouver un autre chum qui n'a pas de lien avec le *groupie*?

Lydia : Moi, je donnerais n'importe quoi pour avoir un *groupie*!

Moi : Alors je te laisse le mien. Bon, faut que j'aille étudier! On se parle lundi.

J'ai raccroché et j'ai continué de fixer le téléphone en espérant que José m'appelle, mais sans succès. Ça fait d'ailleurs trois jours et il ne m'a pas toujours pas contactée. J'espère que c'est par orgueil et non pas parce qu'il est déjà dans les bras d'une autre greluche.

Son inaction me pousse à attendre jusqu'à la fin de la semaine avant de casser avec Vincent. Il est peut-être énervant, mais il peut encore m'être utile!

Maude xox

Jeudi 20 juin

17 h 33

José (en ligne): T'es là ?

17 h 34

Maude (en ligne): Oui

17 h 34

José (en ligne): Je voulais te souhaiter de bonnes vacances, car je n'irai pas à l'école demain. Je pars en Floride avec mon père, cette nuit.

17 h 35

Maude (en ligne): Tu ne fais pas l'exam de sciences ?

17 h 36

José (en ligne): Je m'étais arrangé avec la prof pour le faire aujourd'hui. C'est super facile, en passant. Tu n'as pas besoin d'étudier les deux derniers chapitres.

17 h 37

Maude (en ligne): OK. Merci.

17 h 37

José (en ligne): Sinon, toi, ça va ?

Maude (en ligne): Pas pire.

José (en ligne): Tu n'es pas très jasante.

Maude (en ligne): Pourquoi je le serais? On n'est pas amis, à ce que je sache.

José (en ligne): Non, mais ça pourrait être cool de le devenir.

Maude (en ligne): Avec des amis comme toi, pas besoin d'ennemis.

José (en ligne): J'en déduis que tu es encore fâchée?

Maude (en ligne): C'est vrai que me tromper avec ma meilleure amie, c'est le genre de truc qui se pardonne en quelques semaines.

José (en ligne): Tu t'es déjà réconciliée avec Kath. Pourquoi tu ne peux pas faire la même chose avec moi?

17 h 43

Maude (en ligne): Parce que je sais que contrairement à toi, elle est vraiment repentante, et que ce n'est pas elle qui a amorcé le baiser.

17 h 44

José (en ligne): Pfff. Tu es vraiment prête à croire n'importe quoi. Il existe parfois plusieurs versions à une histoire, Maude. Je suis tanné de te courir après. Je t'ai déjà fait savoir à plein de reprises que j'étais désolé, mais tu ne veux rien entendre.

17 h 45

Maude (en ligne): Ce n'est pas en m'insultant que je vais te pardonner.

17 h 46

José (en ligne): Fais à ta tête, alors. Et va te plaindre dans les bras de Fortin. Vous vous méritez bien.

José s'est déconnecté

Samedi 22 juin, 20 h 33

Cher journal,

Voilà! Je suis libre! L'école est finie et j'ai enfin
cassé avec Vincent. Hier, alors que tout le monde
célébrait la fin des examens, il est venu me
trouver pour me prendre dans ses bras.

Lui : Salut, ma princesse! C'est fini! Vive les vacances!
Moi (en le repoussant) : Ouais. Je sais. C'est cool.
Lui : Ah... Je comprends ce qui se passe! Le
vedettariat te rend indépendante!
Moi : Pardon?
Lui : Je t'ai vue ce matin dans le métro, dans une
grosse pub de sac à dos.
Moi : Ah, non! C'est déjà sorti, ça? Tu m'as
reconnue?
Lui : Ouais! Je t'ai trouvée super belle dessus. Une
vraie top-modèle.

J'aurais évidemment pris ce commentaire comme
un incroyable compliment s'il n'était pas sorti de la

bouche du gars le plus collant et insupportable de la
planète.

Moi (d'un ton sec): Merci. Écoute, Vincent, il faut
que je te parle.
Lui: Tu veux commenter mon poème, c'est ça?
J'espérais justement que tu le fasses! Après tout,
ça fait près d'une semaine que je te l'ai donné et
tu ne m'as toujours rien dit!
Moi (en improvisant): Ouais, c'est ça. Euh. En lisant
ton poème, j'ai remarqué que tu étais vraiment
très... éloquent et romantique. Ça m'a fait réaliser
que tu serais mieux avec une fille qui apprécie
vraiment tes efforts et qui partage ton amour
pour l'art.
Lui: Mais je suis très bien avec toi.
Moi: OK. Mais je ne suis pas certaine de pouvoir te
donner ce que tu cherches.
Lui: Ce que je cherche, c'est toi, ma princesse...

AU SECOURS! Il me pompait avec son amour
inconditionnel! Comme José avait déjà quitté le pays
et que Vincent ne m'était plus d'aucune utilité, je

me suis dit que je n'avais plus aucune raison de le ménager.

Moi : Écoute, je vais directe : ça ne marchera pas entre toi et moi.
Lui (ébranlé) : Quoi ? Pourquoi ?
Moi : Parce que j'haïs les poèmes et j'haïs qu'on me regarde avec de l'admiration dans les yeux, même quand je mange du brocoli. Je ne t'aime pas, Vincent. C'est aussi simple que ça. Je ne suis pas ta princesse ni ton océan. OK ? Bye bye.

J'ai marché d'un pas décidé vers Jeanne, je l'ai agrippée par le coude et je l'ai entraînée vers l'arrêt d'autobus.

Moi : OK. On part !
Jeanne : Ben là ! Je n'avais pas fini de célébrer, moi !
Moi : On va célébrer chez ma mère. Je dois fuir cet endroit au plus vite !

Ma mère nous a cuisiné des brochettes sur le barbecue pour fêter la fin de notre

deuxième année de secondaire. J'ai invité Jeanne
à dormir chez moi et on a passé une partie de la
nuit à regarder des films et à rire du poème de
Vincent. C'était vraiment cool.

Je respire tellement mieux maintenant que l'école
est finie, que ma << relation >> avec le prince
collant est terminée et que je sais que José est loin.
On s'est parlé brièvement sur Skype cette semaine.
Ça ne s'est pas super bien passé. Je sais que mon
histoire avec Vincent l'énerve, mais il a fait exprès
d'adopter une attitude nonchalante, comme s'il
était au-dessus de ses affaires et qu'il était temps
qu'on oublie le passé. Il a même eu le culot de me
demander si je voulais être son amie !

Non seulement ça m'a fait mal, mais on dirait que
ça m'a piquée encore plus. J'espère sincèrement
qu'il souffre aussi de son côté et qu'il réalise à quel
point il a été con de me faire ça.

J'aimerais tellement ça être capable de l'oublier. Si
seulement il existait un bouton magique sur lequel

appuyer. ☹ Je me console en me disant que mon stage de trois semaines dans le Maine pourra me changer les idées et me permettra de rencontrer des gars qui en valent la peine. J'ai tellement hâte! Plus que dix jours et c'est un départ!

Bon, je te laisse. Je dois aider ma mère à faire la vaisselle. Je vais essayer d'en profiter pour lui soutirer des informations sur Martin. Elle a toujours l'air aussi épanouie, mais elle est hyper discrète à propos de sa relation!

Je ne comprends pas ce qui la rend aussi secrète et ce qui la retient de me le présenter. J'ai pourtant hâte que ce soit officiel entre eux et qu'on puisse faire des sorties tous les trois. On pourrait même passer la fin de l'été à Paris! Je te tiens au courant des développements!

Maude xox

Mardi 25 juin

Sophie (en ligne): Je m'ennuie!

14 h 24

Maude (en ligne): De qui?

14 h 24

Sophie (en ligne): Je m'ennuie en général. C'est plate, les vacances!

14 h 25

Maude (en ligne): Ça dépend des points de vue. Moi, j'en profite pour lire et faire des recherches sur la mode. Je ne veux pas avoir l'air d'une cruche quand j'arriverai au camp.

14 h 25

Sophie (en ligne): Qu'est-ce que tu vas faire, là-bas, au juste?

14 h 26

Maude (en ligne): Je me suis inscrite à trois ateliers différents: techniques d'audition, improvisation devant la caméra et techniques de photographie. Il y a des gens qui vont là-bas pour apprendre à mieux jouer sur scène ou même pour chanter professionnellement, mais moi, je veux vraiment me concentrer sur le mannequinat.

14 h 27

Sophie (en ligne): Et tu vas faire quoi, le reste du temps?

14 h 28

Maude (en ligne): Pas grand-chose puisque je n'aurai pratiquement aucun temps libre. Au début, je devrai assister à trois journées d'intégration avec tous les autres groupes, et ensuite, j'aurai des ateliers tous les matins et tous les après-midi. Ça, c'est sans compter les activités obligatoires prévues en soirée.

14 h 29

Sophie (en ligne): C'est intense, mais je te trouve quand même chanceuse! Je ne sais pas ce que je vais faire toute seule, ici! En plus, Lydia me boude encore.

14 h 30

Maude (en ligne): Ça va lui passer, ne t'en fais pas. D'ailleurs, pourquoi tu ne profites pas de ton temps libre pour voir ton JF?

14 h 31

Sophie (en ligne): Parce qu'il ne m'a pas donné signe de vie depuis la fin des cours. Je ne comprends pas. Je pensais vraiment que je lui plaisais.

14 h 31

Maude (en ligne): Ben, là! Déniaise-toi et appelle-le.

14 h 32

Sophie (en ligne): Je suis trop gênée.

14 h 33

Maude (en ligne): Il faut que tu sois un peu plus proactive si tu veux que ça avance.

14 h 33

Sophie (en ligne): Je le suis! Je l'ai ajouté sur Facebook et dans mes contacts Skype. D'ailleurs, ça doit faire dix fois que je le croise en ligne et qu'il m'ignore.

14 h 34

Maude (en ligne): Bon, alors tu as intérêt à oublier ça. Tu ne veux surtout pas avoir l'air aussi acharnée que Lydia.

14 h 35

Sophie (en ligne): Ouais, mais je trouve ça plate. J'imaginais déjà passer l'été dans ses bras.

14 h 35

Maude (en ligne): À la place, tu pourras le passer dans ceux de Lydia.;)

14 h 36

Sophie (en ligne): Je pense qu'elle est encore fâchée contre moi.

Maude (en ligne): Appelle-la. Je suis certaine qu'elle va te pardonner quand elle apprendra que JF t'a rejetée, toi aussi. Bon, j'y vais! Mes chroniques de mode ne vont pas se lire toutes seules!

Jeudi 27 juin, 09 h 33

Cher journal,

Ce matin, je me suis fait réveiller par de la musique celtique dans la maison. J'ai jeté un coup d'œil à mon cadran, j'ai remarqué qu'il était 7 h. Trop tôt pour les vacances. J'ai ouvert la porte de ma chambre pour comprendre ce qui se passait. J'ai aperçu Marie-Gossante qui était en train de faire des étirements sur un tapis. Mon père était quant à lui plongé dans la lecture de son journal et ne semblait pas être conscient du tapage que faisait sa blonde.

MG : Tiens, bonjour Maude ! C'est génial de te voir debout aussi tôt.
Moi (d'un air bougon) : Si je suis debout, c'est parce que ta musique m'a réveillée.
MG : Désolée. Mais avoue que ça fait du bien de partir la journée du bon pied ! D'ailleurs, pourquoi ne viens-tu pas jogger avec moi ? Je vais monter le mont Royal pour respirer un peu d'air frais.
Moi : Non, merci. Je préfère retourner me coucher

pour être bien en forme plus tard.

MG : Pourquoi ? As-tu une activité physique de prévue ?

Moi : Ouais. Appuyer sur les boutons de la télécommande.

MG (en secouant la tête) : Il faut que tu bouges un peu plus, Maude. Ça va faire du bien à ton corps et à ton esprit.

Moi : Je pratique des pas de salsa avec ma mère et ça me suffit comme exercice.

Mon père (en levant les yeux vers moi) : Ta mère danse la salsa ?

Moi (en arrivant dans la cuisine et en me servant un verre de jus d'orange) : Ouais. Elle suit des cours. Elle adore ça.

MG : Je la comprends. C'est le *fun*, les rythmes latins.

Mon père : Ouais, mais ça prend un partenaire.

Il a dit ça sur un ton interrogatif, comme s'il essayait de savoir si ma mère dansait seule.

Moi (d'un ton innocent) : Elle en a un. Bon, je retourne au lit. À plus !

J'ai vu la perplexité sur le visage de mon père. J'étais contente d'avoir piqué sa curiosité, mais je ne tenais pas à ce qu'il en sache plus à propos de Martin.

Parlant de lui, j'ai finalement réussi à soutirer quelques informations à ma mère, la fin de semaine dernière.

Moi (en rangeant des tasses) : Alors, comme ça se passe avec M. Parfait ?

Ma mère (en rougissant) : Très bien.

Moi : Et quand est-ce que tu vas me le présenter ?

Ma mère : C'est compliqué, chérie…

Moi : C'est quoi, l'affaire ? Il est encore fâché contre moi à cause de l'histoire du faux profil ?

Ma mère : Au contraire, il trouve que c'est une preuve d'amour de ta part.

Moi : Tu vois ? On pense de la même façon, lui et moi ! Raison de plus pour qu'on se rencontre !

Ma mère (d'un air nonchalant) : Ouais, mais si tu le rencontres, il va sûrement insister pour nous présenter aussi sa famille.

Moi : Sa quoi ?

Ma mère (en toussotant) : Sa famille.

Moi : Par << famille >>, tu parles sûrement de ses parents ou de son frère jumeau ?

Ma mère : Non. Je veux parler de ses deux garçons de cinq et sept ans.

Je suis restée immobile pendant quelques secondes afin de mieux assimiler l'information.

Moi : Il n'a jamais parlé d'enfants dans les messages qu'il m'a écrits.

Ma mère : Je te ferais remarquer que tu n'as pas non plus fait allusion à ton existence quand tu as correspondu avec lui.

Moi (encore sous le choc) : Deux enfants ? Maman, ça change tout.

Ma mère : Pourquoi ?

Moi : Parce que quand je m'imaginais parcourir Paris avec toi et lui, je ne pensais pas être entourée de deux monstres.

Ma mère : Hein ?

Moi : Mon point, c'est que j'adore être enfant

unique et que je ne veux pas de petits frères.

Ma mère (en souriant) : On est loin d'être rendu à parler de famille recomposée, ma chouette. Tu comprends maintenant pourquoi je veux prendre mon temps. On ne veut pas impliquer nos enfants avant d'être certains que c'est sérieux entre nous.

Moi : Donc tu ne les as pas encore rencontrés ?

Ma mère : Non. Martin a la garde de ses enfants durant la même période que j'ai la tienne. On se voit donc intensément une semaine sur deux. Pour l'instant, ça nous convient parfaitement.

Moi : Finalement, ça me convient aussi.

Ma mère (en plissant les yeux) : C'est bien ce que je pensais !

On a continué à faire la vaisselle en silence.

Ma mère : Je sais que c'est un peu perturbant comme information, mais je tiens à ce que tu saches que ton opinion compte beaucoup pour moi. J'adore passer du temps avec Martin, mais si tu n'es pas à l'aise avec la situation, je ne pourrai pas aller de l'avant avec lui. Tu es la personne la plus importante dans ma vie, Maude. Je ne voudrais surtout pas t'imposer quoi que ce soit.

Elle m'a jeté un regard rempli d'espoir. Même si l'idée de cohabiter éventuellement avec deux monstres ne m'apparaissait guère attrayante, je savais que ma mère méritait d'être heureuse. Je ne voulais surtout pas qu'elle mette sa relation en péril à cause de moi.

Et qui sait? Peut-être qu'avec un peu de chance, Martin et elle continueront de se fréquenter sans impliquer les enfants jusqu'à ce que je sois en âge de vivre en appartement.

Moi: Ne t'en fais pas, maman. Tu auras mon soutien quand viendra le temps des grandes présentations.

Ma mère s'est précipitée vers moi et m'a serrée très fort dans ses bras.

Ma mère: Merci, ma chouette. Je suis vraiment contente.

Je sentais qu'elle était amoureuse. Je l'ai brièvement enviée d'être si heureuse et j'ai souhaité que mon propre cœur se rétablisse au plus vite.

Maude xox

Chapitre 8 :
Tout feu, tout flamme

À : Jeanneditoui@mail.com, BellaLydia@mail.com,
Sophie11@mail.com, Katherinepoupoune@mail.com
De : Queenbee@mail.com
Date : Samedi 29 juin, 11 h 11
Objet : Mon départ !

Allo, les filles !

Comme vous le savez, je prends l'autobus mercredi pour le Maine.
Je me suis dit que ce serait le *fun* de se voir avant mon départ.
Je voulais donc vous proposer de venir chez ma mère, lundi soir,
pour un party pyjama !

Je vous attends donc vers 18 h. On se commandera de la pizza
pour souper.

Maude

Mardi 2 juillet, 17 h 33

Cher journal,

Ça doit faire cinq fois que je refais ma valise.
J'aimerais apporter tous mes vêtements avec
moi, mais ça ne rentre pas. J'ai donc dû faire une
sélection assez difficile. J'ai finalement opté pour
certains morceaux moins confortables, mais plus
tendance. Après tout, je m'en vais dans un camp
de mode. Je ne voudrais surtout pas que les autres
me prennent pour un pichou.

Mon père m'a par ailleurs offert un super beau
sac à main avant que je parte de chez lui,
dimanche matin. Je pense que c'était une façon
de se faire pardonner son absence permanente
et le fait de ne pas pouvoir venir me dire
au revoir demain au terminus d'autobus sous
prétexte qu'il a << une réunion de la plus haute
importance >> et qu'il ne peut << absolument
pas >> se libérer.

Ça me décourage un peu, car je réalise que ça ne changera jamais avec lui. Il y aura toujours des urgences plus importantes que moi. Il trouvera toujours des façons de se racheter en m'offrant des biens matériels. D'ailleurs, je me demande ce que j'obtiendrai le jour où il ne pourra se pointer à mon mariage, ou encore à la naissance de son premier petit-fils. Une maison aux Bahamas? Une voiture de l'année? Ou encore mieux : une nouvelle belle-mère qui a de l'allure?

Je suis vraiment contente à l'idée de changer d'air. Je pensais que la fin des classes me ferait du bien et que je penserais moins à José, mais on dirait que c'est le contraire. Son absence me pèse. D'un côté, il me manque, mais d'un autre, je m'en veux d'éprouver encore quelque chose pour lui. Ce qu'il m'a fait dépasse les limites de l'acceptable, mais on dirait que je n'arrive pas à le chasser complètement de mes pensées et à passer officiellement à autre chose. J'ai lu sur Internet que les peines d'amour prenaient souvent du temps à cicatriser, mais ce n'est pas trop mon genre d'attendre et de souffrir en silence. Moi, j'aime mieux agir pour faire bouger les choses.

J'ai invité les filles à dormir chez moi hier soir. Je dois avouer que je suis un peu soulagée de prendre une pause de Sophie et Lydia. Elles quémandent sans arrêt de l'attention depuis le début des vacances et n'arrêtent pas de me supplier de leur trouver des chums. Je possède un talent hors du commun dans le domaine, mais je ne crois pas posséder de dons surhumains pour convaincre des gars de tomber en amour avec des filles trop désespérées.

Ça me fera aussi du bien de prendre un peu mes distances avec Katherine. Depuis notre réconciliation le soir du concert, elle m'appelle à tout bout de champ pour discuter et pour faire des activités avec moi. C'est sa façon de vouloir se rapprocher de moi et de se rattraper pour ce qui s'est passé, mais je réalise en la côtoyant qu'une partie de moi n'arrivera jamais à lui refaire complètement confiance. Quelque chose s'est brisé entre nous ce printemps. Il va falloir qu'elle l'accepte, tôt ou tard.

La seule qui va vraiment me manquer, c'est Jeanne. J'étais d'ailleurs triste de lui dire au revoir ce matin.

Jeanne : Ben là ! Ne fais pas cette face-là ! Tu pars juste trois semaines. Je ne serai pas à Montréal, de toute façon.
Moi : Je sais. Mais je vais m'ennuyer de toi quand même !
Jeanne : Toi aussi. Penses-tu avoir le temps de m'écrire ?
Moi : Il y a un local d'informatique au camp, alors je m'arrangerai pour te donner des nouvelles quand je peux.
Jeanne (en me serrant dans ses bras) : OK. Je vais t'écrire, moi aussi. Profite au max de ton expérience, et surtout, n'écris pas à José.
Moi : Tu vois ? C'est ça qui va me manquer ! Qui me ramènera à l'ordre quand je me sentirai faible ?
Jeanne : Ton cerveau ! J'ai confiance en lui. Je sais

qu'il est capable.

Moi : Niaiseuse !

Jeanne : Bon, il faut vraiment que je file.

Moi : OK. Amuse-toi bien en Gaspésie, et essaie de ramener un beau pêcheur !

Jeanne : Ouais, c'est tellement mon genre.

Moi : On ne sait jamais. Peut-être que l'air marin va te donner le goût d'être en couple.

Jeanne : Si jamais c'est le cas, je t'autorise à me faire une lobotomie ! *Ciao !* Bon voyage !

Elle est partie et je me suis mordu la lèvre. J'espère sincèrement que mon cerveau sera à la hauteur et qu'il m'empêchera de faire une niaiserie et de succomber, si jamais José continue à me manquer aussi intensément.

Maude xox

À : Jeanneditoui@mail.com, BellaLydia@mail.com,
Sophie11@mail.com, Katherinepoupoune@mail.com
De : Queenbee@mail.com
Date : Samedi 6 juillet, 17 h 59
Objet : *I'm in the States* !

Hello, girls !

Je vous écris juste pour vous dire que je suis saine et sauve et que je tripe vraiment dans mon camp. Nous sommes une trentaine en tout. Ça fait trois jours qu'on passe tout notre temps ensemble, mais à partir de lundi, je commence les ateliers avec mon groupe de sept personnes.

Je suis la seule Québécoise. Les autres viennent des quatre coins des États-Unis. Il y a même un gars (Matthew) qui a déjà joué dans une pièce sur Broadway. Il m'a dit qu'il me trouvait super photogénique et qu'il était certain que j'avais de l'avenir dans le domaine de la mode. Comme il travaille avec des gens importants, son opinion compte vraiment pour moi.

J'espère que tout se passe bien à Montréal et en Gaspésie. Je vous donne d'autres nouvelles bientôt !

Maude xox

Mercredi 10 juillet, 17 h 33

Cher journal,

Je n'ai pas beaucoup le temps d'écrire depuis
que je suis ici. Ça fait déjà une semaine que je
suis arrivée au camp, et je n'ai pas arrêté deux
minutes. J'apprends beaucoup, mais c'est pas mal
plus exigeant que je ne le croyais. Avant le début
des ateliers, je sentais que certaines filles avaient
beaucoup plus d'expérience que moi, et mes doutes
se sont concrétisés quand l'un de nos professeurs
nous a demandé de nous installer devant la caméra
pour prendre quelques clichés. Il y a une fille dans
mon groupe (Isabel), qui est le sosie de Selena
Gomez et qui possède le talent nécessaire pour
participer à n'importe quel défilé important. J'ai
d'ailleurs appris qu'elle avait déjà fait une campagne
de pub pour une boisson gazeuse et pour une
crème hydratante. Pas besoin de te dire que quand
je me compare à elle, je me sens aussi séduisante
qu'un sanglier.

J'ai particulièrement de la difficulté dans l'atelier d'improvisation devant la caméra. Je n'ai pas la fibre naturelle d'Éloi en moi et quand vient le temps de penser spontanément à une scène comique ou de mimer un animal en trois secondes, je bloque complètement. La professeure m'a dit que j'étais trop dans ma tête; pour progresser, je devais me laisser aller sans avoir peur du ridicule. Le problème, c'est que quand que Selena Junior improvise une thématique animale, elle le fait avec finesse, alors que si moi j'essaie, je ressemble à un éléphant malhabile dans une cabine téléphonique.

Bref, je ne peux pas dire que les jours passés ici jusqu'à maintenant ont fait beaucoup de bien à mon estime personnelle. J'essaie évidemment de cacher mon jeu et d'avoir l'air sûre de moi quand on fait des activités ou qu'on mange tous ensemble, mais quand je me couche le soir, je sens une boule dans mon ventre et je me demande ce que je fais ici.

Mon seul rayon de soleil, c'est Matthew. Il n'est pas dans mon groupe puisqu'il veut devenir comédien.

Il vient de New York, il a quinze ans et il a déjà décroché un petit rôle dans une pièce peu connue de Broadway. Comme son père est réalisateur et que sa mère est photographe, il a grandi dans le milieu artistique. Nous avons été jumelés lors de la toute première activité que nous avons eue jeudi dernier. J'ai tout de suite été fascinée par son physique et sa personnalité.

Il a de grands yeux verts, des cheveux châtains, un teint bronzé, et il a toujours l'air de penser à quelque chose d'important. Lorsqu'il parle, ce n'est jamais pour dire des banalités. Nous sommes assez différents, mais quelque chose me pousse à vouloir être à ses côtés. C'est comme si je me sentais moins nulle quand je passais du temps avec lui. Il faut dire qu'il est super gentil avec moi et qu'il ne cesse de m'encourager.

Hier soir, alors que nous étions assis près du feu de camp, il m'a regardée en souriant et il s'est mis à jouer une ballade à la guitare. Il m'a confié qu'il l'avait composée la veille en pensant à moi. J'ai rougi et j'ai réalisé que quand j'étais avec lui,

José disparaissait de mon esprit. Je ne sais pas si c'est le fait d'être loin de chez moi ou de passer du temps avec quelqu'un qui est si différent de lui, mais je crois enfin avoir trouvé un antidote pour me guérir de ma peine d'amour.

Le seul problème, c'est que même si je sens que je l'attire, Matthew n'a pas l'air du type de gars à précipiter les choses ou même à faire les premiers pas. Normalement, je m'arrangerais pour le faire réagir en me collant sur un autre, mais je ne veux pas risquer de lui faire de la peine ou de le décevoir.

Samedi soir, les organisateurs ont prévu une petite fête sur la plage, suivie d'un immense feu de joie. J'espère pouvoir profiter de l'occasion pour me rapprocher davantage de lui et pour voir si ça peut aller plus loin entre nous.

Je te reviens bientôt avec les développements.

Maude xox

Vendredi 12 juillet

Jeanne (en ligne): Maude? Es-tu là?

18 h 04

Maude (en ligne): Oui! Je viens tout juste de me connecter! Je suis trop contente de te croiser en ligne!

18 h 05

Jeanne (en ligne): Moi aussi! Surtout que je n'ai pas accès à Internet tous les jours! Mais comme il pleut depuis ce matin, mes parents ont décidé de passer la nuit dans un petit hôtel (avec WiFi) sur le bord de la mer. J'ai supplié mon père de me prêter sa tablette! Comment vas-tu?

18 h 06

Maude (en ligne): Ça va bien! Les ateliers sont assez exigeants, mais j'apprends énormément. Et j'ai rencontré quelqu'un! ☺

18 h 07

Jeanne (en ligne): Trop cool! Est-ce qu'il s'agit du Matthew dont tu nous parlais dans ton courriel?

18 h 08

Maude (en ligne): Ouais! Il est vraiment gentil, *cute* et super intelligent. Il est TELLEMENT plus mature que José.

18 h 09

Jeanne (en ligne): Je suis contente pour toi! Et soulagée de voir que tu passes à autre chose au lieu de te morfondre à propos de ton ex!

18 h 10

Maude (en ligne): T'inquiète! C'est à peine si je pense encore à lui!

18 h 11

Jeanne (en ligne): HOURRA! Mais parle-moi un peu plus de ton nouveau *kick*.

18 h 12

Maude (en ligne): En fait, il ne s'est toujours rien passé entre nous. Comme il est hyper respectueux, je crois que je devrai faire les premiers pas.

18 h 13

Jeanne (en ligne): Bah, ce n'est pas comme si tu n'avais pas d'expérience dans le domaine!;) Je suis sûre que ça va bien se passer!

18 h 14

Maude (en ligne): Je le souhaite vraiment. Ça clique tellement entre nous!

18 h 14

Jeanne (en ligne): Il habite où?

18 h 15

Maude (en ligne): À Manhattan.

18 h 16

Jeanne (en ligne): Hum... Je ne suis pas sûre que la ligne orange du métro se rende jusque-là, par exemple. Es-tu sûre de vouloir t'embarquer dans une relation à longue distance?

18 h 17

Maude (en ligne): Je sais qu'il habite loin, mais rien n'est impossible.

18 h 17

Jeanne (en ligne): Ouais, mais sois quand même prudente. Je ne voudrais pas te voir traverser une deuxième peine d'amour en moins de deux mois!

18 h 18

Maude (en ligne): Ne t'en fais pas pour moi. Matthew ne me ferait jamais souffrir comme José. Il est tellement plus sensible. Mais parle-moi un peu de toi! Comment ça se passe en Gaspésie?

18 h 19

Jeanne (en ligne): C'est super beau (quand il ne pleut pas) et j'en profite pour manger autant de fruits de mer que je peux! Mais comme je suis toujours avec mes parents, mon quotidien est un peu moins palpitant que le tien.

18 h 20

Maude (en ligne): T'en fais pas, on se reprendra à mon retour !

18 h 21

Jeanne (en ligne): Ouais, j'y compte bien !

18 h 21

Maude (en ligne): Il va falloir que je te laisse ; je veux aller prendre ma douche avant le souper, question d'être *cute* pour Matthew ! D'ailleurs, je suis tellement contente d'avoir apporté mes vêtements *fashion* ! Les filles ici sont vraiment habillées à la dernière mode !

18 h 22

Jeanne (en ligne): Je suis certaine que la moitié jalouse ton style ! Je te laisse aller te préparer, alors ! Bonne chance avec ton bel Américain !

18 h 23

Maude (en ligne): Merci ! Et amuse-toi bien avec les crevettes et les homards !

18 h 24

Jeanne (en ligne): Quand tu le dis comme ça, ma vie me semble encore plus pathétique !

18 h 25

Maude (en ligne): Ha, ha! J'ai hâte de te voir! Xxx

18 h 26

Jeanne (en ligne): Moi aussi! Bonne fin de camp! xox

Lundi 15 juillet, 7 h 22

Cher journal,

Je me suis réveillée à l'aube et je n'arrive pas à me rendormir tant je suis heureuse. Matthew et moi nous sommes enfin embrassés. Je flotte sur un nuage!

Samedi, les professeurs et les moniteurs avaient décidé d'annuler les ateliers et d'organiser une journée d'activités tous ensemble sur la plage. J'étais trop contente, car ça me permettait de passer plus de temps avec Matthew.

Quand je me suis pointée à la table d'inscription, j'ai vu qu'il avait choisi d'essayer le voilier, le volleyball et les courses de natation. J'ai décidé de me joindre à lui pour les deux premières activités. Comme je nage aussi bien qu'un chat, j'ai laissé tomber la dernière et j'ai plutôt opté pour le cours de yoga.

Même si c'était cool de le côtoyer sur le bateau et d'être dans son équipe de volleyball, la présence des autres ne m'a pas permis de me rapprocher davantage de lui. Les choses ne se sont guère arrangées quand je me suis pointée au cours de yoga et que j'y ai aperçu Selena Junior et ses trois disciples, qui se croient supérieures aux autres.

La professeure nous a donné une série d'étirements à faire. Comme j'ai toujours été assez souple, j'en ai profité pour leur en mettre plein la vue. Je voyais bien que les chipies étaient impressionnées! Si seulement Matthew avait été là pour me voir faire le grand écart!

Quand je suis rentrée au dortoir, je me sentais un peu découragée, mais j'ai retrouvé le sourire quand j'ai aperçu une petite note sur mon lit. Je te la transcris en français :

Salut, Maude!

J'ai quitté la plage avant toi et comme j'ai à peine eu la chance de te parler aujourd'hui, je voulais te proposer qu'on se rejoigne vers 18 h devant l'auditorium pour

faire une promenade avant le souper, histoire de
bavarder un peu. J'ai hâte de te voir!

Matthew

Je capotais! J'ai pris une douche rapide et j'ai enfilé
ma plus jolie robe. Quand je l'ai rejoint, j'ai vu dans
son regard que j'avais fait le bon choix.

Lui : Wow. Tu es... superbe!
Moi : Merci! Alors, comment s'est passée ta journée?
Lui : Pas mal. Toi? Je ne te savais pas si flexible!

Joie! Il m'avait regardée pendant mon cours de yoga!

Moi : Ouais, c'est un talent secret.
Lui : Wow. Est-ce que tu as d'autres talents cachés
comme celui-là?
Moi (du tac au tac) : Je suis assez bonne pour
faire les premiers pas.

Nous étions sur le sentier qui mène à la place
de rassemblement où les moniteurs et les profs

avaient organisé un grand repas en plein air. J'ai
jeté un coup d'œil autour de nous pour m'assurer
que nous étions seuls. J'en ai profité pour avancer
vers lui et prendre sa main.

Il s'est arrêté et m'a regardée d'un air songeur.
J'ai franchi les quelques pas qui nous séparaient
et je posé mes lèvres sur les siennes. Elles étaient
douces et elles goûtaient le gâteau au chocolat.

J'ai aussitôt senti Matthew se raidir. Il s'est
détaché de moi en toussotant. Je ne comprenais
pas trop ce qui se passait.

Moi : Ça va ?
Lui (d'un air perturbé) : Je ne sais pas.
Moi : Euh. Peux-tu préciser, s'il te plaît ?
Lui : Je ne sais pas trop par où commencer.

Ça ne se déroulait pas du tout comme je l'avais espéré.

Moi (en boudant) : Désolée d'avoir été si directe. Je
croyais que je te plaisais.

Lui (en se radoucissant) : Tu me plais, Maude. Ce n'est pas ça le problème.

Moi : C'est quoi ?

Il m'a entraînée vers un banc, non loin de là.

Lui : J'ai cassé avec une fille avant de venir ici, et je me sens encore un peu... fragile, tu comprends ? Je tiens encore beaucoup à elle.

Moi : Tu l'aimes encore ?

Lui : Oui et non. Elle m'a trompé et je lui en veux encore beaucoup, mais on dirait que je n'arrive pas à la chasser complètement de mon esprit. Elle m'écrit tous les jours pour me répéter qu'elle m'aime vraiment, qu'elle regrette ce qui s'est passé et qu'elle aimerait qu'on revienne ensemble.

Moi : OK. Et toi ? As-tu envie de reprendre avec elle ?

Lui : Je ne sais pas. C'est pour ça que le stage ici tombait à pic. Ça me donnait l'occasion de prendre un peu mes distances et de réfléchir. Puis je suis tombé sur toi. Je n'avais pas prévu de rencontrer une Québécoise aussi mignonne pendant mon séjour ici. Je me sens un peu perdu.

C'était incroyable. Non seulement Matthew et
moi connections à plein de niveaux, mais nos
histoires d'amour étaient presque similaires, à
la différence que José ne m'a pas contactée
une seule fois depuis que je suis aux États-Unis.
Pendant une fraction de seconde, je me suis
demandé si c'était parce qu'il avait rencontré
quelqu'un d'autre, lui aussi. Ça m'a fait mal rien
que d'y penser.

Lui : Ça va ? Tu as l'air songeuse.
Moi : Ouais... C'est juste que ton histoire me fait
beaucoup penser à la mienne.
Lui : Que s'est-il passé ?
Moi (en prenant une grande respiration) : Mon
chum a embrassé une de mes meilleures amies
ce printemps. Je comptais vraiment sur ce camp
pour me changer les idées et me permettre de
retomber sur mes pattes.
Lui : Wow. Pas pire comme coïncidence.
Moi : Ouais.
Lui : Et comment tu te sens par rapport à lui ?
Moi : Honnêtement, je ne sais pas trop. Je

m'empêche de penser à lui. Mais je peux te garantir
que ta présence m'a vraiment aidée.

On est restés silencieux pendant quelques secondes,
puis à ma grande surprise, il a pris ma main.

Lui : Tu sais ce que je viens de réaliser?
Moi : Non.
Lui : Que je n'avais pas envie de rater l'occasion
de te connaître mieux. En ce moment, nous
sommes ici, ensemble, et c'est tout ce qui
compte.
Moi : OK. Et qu'est-ce que ça veut dire, ça?

Il a posé un baiser sur mes lèvres, puis il m'a
regardée d'un air espiègle.

Lui : Que si tu es d'accord, nous pourrions
profiter à fond de la semaine qui nous reste
ensemble sans penser au futur. Toi et moi avons
chacun des choses à régler après le camp, mais
nous ne sommes pas obligés d'y réfléchir tout de
suite.

Une relation sans avenir. Hum. Étrangement, ça me plaisait bien, comme idée.

Lui (en poursuivant ses explications) : Et j'ai l'impression que de cette façon, nous pourrions toujours garder un souvenir mémorable de ce camp.

Même si je savais que ça allait me rendre triste de me séparer de lui à la fin de mon séjour ici, j'étais consciente que le mieux à faire était de profiter du moment présent.

Lui : Alors ? Qu'en penses-tu ?

Je l'ai embrassé en guise de réponse, et nous sommes restés collés l'un contre l'autre jusqu'à ce que des bruits de pas attirent notre attention.

Je me suis retournée vers le sentier et j'ai aperçu Selena et sa gang qui nous observaient avec un air jaloux. Je jubilais.

Matthew et moi sommes inséparables depuis samedi. J'adore discuter avec lui et écouter ses histoires d'enfance passionnantes. Nous évitons évidemment de parler de son ex, de José ou de tout ce qui a trait à nos << vraies >> vies respectives. Je crois que nous savons tous les deux que c'est plus facile de rester dans le rêve si nous n'abordons pas la réalité.

Je dois filer si je veux être la première arrivée aux douches.

Maude xox

À : Jeanneditoui@mail.com, BellaLydia@mail.com,
Sophie11@mail.com, Katherinepoupoune@mail.com,
Queenbee@mail.com
De : MarianneVancouver@mail.com
Date : Jeudi 18 juillet, 16 h 58
Objet : J'arrive !

Hello, girls !

Je voulais simplement vous prévenir de mon arrivée et vous inviter à un petit party dans ma cour pour célébrer mon retour et vous montrer ma nouvelle maison ! Je me suis organisée avec mon frère pour que ses amis soient aussi de la fête, alors il y aura pas mal de gars *cute* ! Mon père part aujourd'hui pour Montréal pour s'assurer que tout soit prêt pour notre arrivée. Je suis tellement énervée !

Je vous attends à la maison le 30, en après-midi ! Je vous enverrai une invitation Facebook avec l'adresse exacte sous peu. J'ai trop hâte de vous voir ! Ça va être cool de retrouver ma gang ! ☺

Marianne xox

P.-S. : Maude, comment ça se passe aux États-Unis ?

À : MarianneVancouver@mail.com
De : Queenbee@mail.com
Date : Samedi 20 juillet, 17 h 30
Objet : Re : J'arrive !

Salut !

Ici, tout se passe à merveille pour moi. J'apprends énormément et je suis entourée de gens qui sont aussi qualifiés que moi, alors il n'y a pas de perte de temps. Ce qui est cool, c'est que je sens que mon expérience m'aide beaucoup et inspire certains de mes camarades.

Mais le plus excitant dans tout ça, c'est que j'ai rencontré un gars. Il s'appelle Matthew, il habite à New York et il est comédien. On passe pratiquement tout notre temps libre ensemble et je me sens littéralement au septième ciel. Le seul problème, c'est que mon séjour tire déjà à sa fin et que je sais que la séparation va être déchirante. On habite loin l'un de l'autre. Je ne suis pas assez masochiste pour m'embarquer dans une relation à longue distance. Toi, que vas-tu faire avec Josh ?

Je rentre à Montréal le 24, donc je serai présente chez toi le 30. Je sais que j'aurai besoin d'action pour me changer les idées.

Profite de tes derniers moments avec ton chum ; ce n'est pas évident de devoir compter les jours.

On se voit bientôt,

Maude xox

Mardi 23 juillet, 22 h 22

Cher journal,

Je t'ai un peu délaissé depuis que je suis ici, mais
comme les ateliers sont hyper difficiles, j'ai été
trop occupée et trop crevée pour t'écrire. J'ai le
cœur gros en ce moment, alors ça va me faire du
bien de me confier à toi.

Je viens d'assister à ma dernière soirée au camp.
Pour souligner l'événement, les moniteurs avaient
organisé un immense *pot-luck* dans la nature.
Comme d'habitude, je me suis assise seule avec
Matthew et je me suis collée contre lui.

Moi : Je me sens triste.
Lui : Il ne faut pas. Nous sommes encore ensemble,
non ?
Moi : Ouais, mais je sais que ça s'achève.

La prof d'improvisation devant la caméra est alors
apparue devant nous.

Elle : Maude ?

Moi (en me redressant et en toussotant) : Euh, oui, madame ?

Elle : C'est ma tradition d'aller voir chacun de mes élèves à la fin du séjour pour faire un petit bilan de son évolution. Tu veux bien venir avec moi ?

Je l'ai suivie jusqu'à la table à pique-nique et je me suis assise, l'air abattu.

Moi (en baissant les yeux) : Je sais déjà ce que vous allez me dire : je n'ai pas été à la hauteur dans votre atelier. Je suis désolée.

Elle (en me regardant d'un air surpris) : Ne dis pas ça ! Je crois que tu as le talent à l'intérieur de toi ! Le problème, c'est que tu réfléchis trop. Il faut simplement que tu apprennes à te laisser aller.

Moi : Ouais, mais je trouve ça difficile quand les autres me jugent.

Elle (en levant un doigt) : Voilà ! Tu viens de nommer ce qui cloche. Tu t'en fais trop à propos des autres. Est-ce que toi, tu les jugeais quand ils interprétaient des scènes ou qu'ils improvisaient ?

Moi : Non. Mais c'est parce qu'ils étaient tous meilleurs que moi.

Elle : Ça, c'est ta perception. Mais moi, je suis là pour te dire que tu peux réussir autant que les autres.

Moi (un peu ragaillardie) : Vous le pensez vraiment ?

Elle : Oui. Ton problème, Maude, ce n'est pas un manque de talent ; c'est un manque de confiance en toi. Je crois que c'est la première chose que tu dois véritablement travailler.

Comme je savais que je ne reverrais probablement jamais cette femme de ma vie, je me suis autorisée à m'ouvrir un peu à elle.

Moi : Cette année, je n'ai pas eu énormément de succès dans mes auditions. Je crois que ç'a eu un impact important sur mon estime et ma confiance.

Elle (en me souriant gentiment) : Je vais te confier un secret : j'ai passé cinquante-trois auditions avant de décrocher mon premier petit rôle au théâtre. Ça m'a pris plus de sept ans avant de recevoir un salaire décent. Le milieu de la mode est aussi rude que celui du cinéma, et c'est pourquoi il faut que tu aies la couenne dure. Peu importe ce qui arrive, c'est essentiel que tu ne perdes pas la foi et que tu te répètes que tu mérites d'avoir ta place dans le milieu et que tu vaux autant, sinon plus que les autres.

Moi (en souriant) : Merci, madame. Ça fait du bien à entendre.

Elle (en se levant) : Ça me fait plaisir. Bonne chance dans tout, Maude. Je suis certaine qu'on se recroisera un jour.

Je l'ai regardée s'éloigner et je me suis tournée vers Matthew, qui était en train de discuter avec Selena Junior. Madame avait osé s'asseoir auprès de lui pendant mon absence. Je me suis empressée de les rejoindre pour qu'elle comprenne qu'il était temps de lever les pattes.

Moi : Ça y est. J'ai fini.

Selena (en levant les yeux vers moi) : Comment ça s'est passé ?

Moi : Bien. Elle a été très encourageante.

Selena (en battant des cils) : Ouais, avec moi aussi.
Elle pense que je devrais aller à Hollywood pour
tenter ma chance.

Grrr.

Moi : Bon, eh bien, bonne chance sur la côte Ouest,
Sele... Isabel.
Selena (en se relevant et en me défiant du
regard) : Bonne chance à toi. Je sais que les
occasions ne pleuvent pas au Canada.

Elle s'est éloignée en se déhanchant. J'ai serré
les poings et j'ai plissé les yeux. Je lui souhaitais
sincèrement de se teindre les cheveux en orange
et de se faire humilier à Hollywood !

Matthew (en agrippant mon poing et en m'attirant
vers lui) : Laisse tomber ! Il ne faut pas que tu
perdes ton énergie avec des filles comme elle.

Je savais qu'il avait raison, mais j'avais de
la difficulté à me raisonner. Heureusement,

ses câlins ont réussi à me détendre et à me faire oublier toutes les Selena Gomez de ce monde. Nous avons d'ailleurs passé le reste de la soirée à nous regarder dans les yeux et à contempler les feux d'artifice que les moniteurs ont fait éclater pour célébrer notre passage au camp.

Comme je dois prendre l'autobus demain matin à 6 h, j'ai fait mes adieux à Matthew devant mon dortoir.

Lui (en me serrant dans ses bras) : C'est plus difficile que je ne le croyais.
Moi : Pour moi aussi.
Lui : Je tiens à ce que tu saches que tu es vraiment importante pour moi.
Moi : Toi aussi. Je ne t'oublierai jamais.
Lui : Une partie de moi a envie de te dire que j'aimerais qu'on reste en contact, mais j'ai peur que ça complique les choses.
Moi : Je suis d'accord. Je pense qu'on devrait simplement suivre notre plan de départ.

Lui : Ouais... Et qui sait ? Peut-être que nos chemins se recroiseront un jour.

Moi : Peut-être. Fais-moi signe si tu viens à Montréal, OK ?

Lui : OK. Et toi, promets-moi de m'appeler si tu passes par New York.

Moi : Promis.

J'ai plongé mon nez dans son cou pour respirer son odeur une dernière fois, puis je suis partie sans me retourner. Et maintenant, j'ai une boule dans la gorge. Je suis triste de devoir me séparer de lui. Je suis vraiment nerveuse à l'idée de retrouver ma << vraie vie >>. Au moins, je pourrai le faire auprès de ma mère, puisque mon père est parti se faire bronzer avec sa greluche pour les deux prochaines semaines.

La bonne nouvelle, c'est que je sens que mon séjour ici m'a un peu transformée. Je sais que toutes les notions que j'ai apprises dans les ateliers m'aideront dans ma carrière et que les moments passés avec Matthew me permettront de devenir plus forte et de savoir un peu plus ce que je veux.

Sur ce, je vais aller me coucher, car je dois me lever très tôt demain matin.

Maude xox

À : Queenbee@mail.com
De : Vivajose@mail.com
Date : Jeudi 25 juillet, 09 h 23
Objet : Tu me manques

Holà, mi amor,

Ça fait trois semaines que je me morfonds et que je me retiens de t'écrire, mais comme Alex m'a appris que tu étais de retour en ville, je n'ai pas pu résister. Je veux que tu saches que je regrette sincèrement ce qui s'est passé en mai. J'ai vraiment été con de te tromper. C'est la première fois que ça arrive et je te jure que ce sera la dernière.

Avec le recul, je réalise que comme on se disputait souvent, j'ai sans doute cherché à créer un drame pour que ça cesse, mais c'est la pire erreur de ma vie. Je pense tout le temps à toi et je m'ennuie de nous deux. Je ne pourrai jamais être avec une autre fille que toi, et je suis prêt à tout pour te prouver que j'ai changé et pour que tu me donnes une autre chance.

Je sais aussi que tu es peut-être encore en colère contre moi, mais j'aimerais vraiment qu'on se parle et qu'on se voie pour que je puisse t'expliquer tout ça de vive voix et pour que tu réalises à quel point je suis sincère. Je veux te ravoir dans ma vie, *mi chiquita*. Laisse-moi la chance de te prouver que je peux changer, OK ?

Je t'aime

José

Dimanche 28 juillet

20 h 03

Jeanne (en ligne): Hey! Je suis sans nouvelles de toi depuis trois jours! Es-tu vivante?

20 h 04

Maude (en ligne): Oui! Désolée! J'ai passé une fin de semaine intense avec ma mère. Je pense qu'elle s'est beaucoup ennuyée de moi!

20 h 04

Jeanne (en ligne): As-tu finalement rencontré son chum?

20 h 05

Maude (en ligne): Non, mais elle m'a promis que si tout allait bien, elle organiserait un souper vers la fin de l'été!

20 h 06

Jeanne (en ligne): Avec ses enfants?

20 h 07

Maude (en ligne): Hors de question. Une chose à la fois!

20 h 07

Jeanne (en ligne): Et quoi de neuf? Est-ce que Matthew te manque?

20 h 08

Maude (en ligne): Pas tellement, non.

20 h 08

Jeanne (en ligne): Ben, voyons! Tu l'as ben oublié vite!

20 h 09

Maude (en ligne): Je ne l'ai pas «oublié», mais disons que les choses se sont précipitées depuis mon retour et qu'il y a des trucs plus importants qui occupent mes pensées.

20 h 10

Jeanne (en ligne): Hum? Quel genre de «trucs»?

20 h 12

Maude (en ligne): Si je t'en parle, il faut que tu me promettes de ne pas me faire la morale.

20 h 13

Jeanne (en ligne): Pourquoi ai-je l'impression que tu vas me parler de José?

20 h 14

Maude (en ligne): Parce que tu sais que c'est notre seul sujet de discorde.;)

20 h 15

Jeanne (en ligne): En effet. Alors, qu'est-ce qu'il a fait, cette fois?

20 h 16

Maude (en ligne): Il m'a écrit un courriel il y a trois jours pour me demander pardon. Il a reconnu qu'il avait été vraiment con et il m'a avoué qu'il m'aimait encore, qu'il n'arrivait pas à m'oublier et qu'il était prêt à tout pour se faire pardonner.

20 h 17

Jeanne (en ligne): N'importe quoi! Tu l'as ignoré, j'espère?

20 h 18

Maude (en ligne): Au début, oui, mais j'ai cédé à son quatrième appel.

20 h 18

Jeanne (en ligne): Pfff. Est-ce que tu lui as dit que c'était du harcèlement?

20 h 19

Maude (en ligne): Pas exactement, mais je lui ai dit que ça ne servait à rien de s'acharner, car il n'y avait aucune chance qu'on revienne ensemble.

20 h 20

Jeanne (en ligne): C'est bon! Je suis fière de toi!

20 h 21

Maude (en ligne): Je n'ai pas fini...

20 h 22

Jeanne (en ligne): Je crains la suite. Mais continue quand même.

20 h 23

Maude (en ligne): Il a insisté et il s'est mis à pleurer en me demandant pardon. Je ne l'avais jamais vu comme ça.

20 h 23

Jeanne (en ligne): C'est de la manipulation, Maude!

20 h 24

Maude (en ligne): Non! Je te jure qu'il avait l'air vraiment sincère! Il m'a suppliée de le rejoindre au parc pour qu'on parle. Je trouvais qu'il faisait pitié, alors j'ai accepté.

20 h 24

Jeanne (en ligne): NON! Il ne fallait pas!

20 h 25

Maude (en ligne): Si tu réagis comme ça, je ne te raconterai pas la suite.

20 h 25

Jeanne (en ligne): Désolée. Continue.

20 h 26

Maude (en ligne): On s'est rejoints vers 15 h, hier. Il m'attendait avec une rose, ce qui m'a fait sourire. Il m'a répété qu'il réalisait son erreur, qu'il s'excusait de son comportement et qu'il voulait une autre chance.

20 h 27

Jeanne (en ligne): Tu as répondu quoi?

20 h 28

Maude (en ligne): J'ai essayé d'être forte, mais quand je l'ai vu avec sa fleur, j'ai senti mon cœur fondre. Matthew m'a permis de mettre un bandage sur ma blessure, mais hier, j'ai réalisé que je n'avais jamais arrêté d'aimer José. C'est comme s'il y avait une force surnaturelle qui nous poussait l'un vers l'autre.

20 h 29

Jeanne (en ligne): Es-tu en train de me dire que tu vas céder?

20 h 30

Maude (en ligne): Je suis en train de te dire que ça m'a fait quelque chose de le revoir, que je crois qu'il est sincère, qu'il m'aime vraiment et que j'ai besoin de réfléchir à tout ça.

20 h 31

Jeanne (en ligne): Je n'arrive pas à croire que tu sois prête à te rembarquer dans quelque chose avec lui après ce qui s'est passé avec Katherine.

20 h 32

Maude (en ligne): Le temps passe et les personnes changent, Jeanne.

20 h 32

Jeanne (en ligne): Je ne crois pas que les gens puissent changer à ce point.

20 h 33

Maude (en ligne): Marianne n'est pas de ton avis.

20 h 33

Jeanne (en ligne): Elle est déjà revenue, elle?

20 h 35

Maude (en ligne): Non. Elle arrive demain, mais m'a appelée cet après-midi pour planifier son party de mardi et pour m'annoncer qu'elle venait de casser avec Josh. J'en ai profité pour lui raconter ma séparation avec Matthew et mon rendez-vous avec José. Elle m'a dit qu'elle croyait aussi qu'il était sincère et que ça valait sans doute la peine de lui donner le bénéfice du doute pour en avoir le cœur net.

20 h 37

Jeanne (en ligne): C'est le pire conseil que j'aie entendu de ma vie.

20 h 37

Maude (en ligne): Ha! Elle avait aussi prédit que tu allais réagir comme ça! Comme quoi elle n'a pas toujours tort!

20 h 38

Jeanne (en ligne): Je ne veux pas te dire quoi faire, Maude, mais je ne crois pas que tu devrais céder si facilement.

20 h 39

Maude (en ligne): T'inquiète. Marianne m'a aussi suggéré de le laisser poireauter encore quelque temps.

20 h 40

Jeanne (en ligne): Si j'étais toi, je le laisserais poireauter jusqu'à la fin du secondaire.

20 h 41

Maude (en ligne): Bon, ça suffit. J'aime mieux changer de sujet.

20 h 42

Jeanne (en ligne): Ça tombe bien, car je dois partir. J'ai promis à Sophie de la rappeler avant 21 h.

20 h 43

Maude (en ligne): Comment va-t-elle?

20 h 44

Jeanne (en ligne): Pas mal. Elle a décidé de mettre une croix sur les gars et de se concentrer sur elle.

20 h 45

Maude (en ligne): Oh, non! On dirait que tu as déteint sur elle pendant mon absence!;) Ça va lui faire du bien de sortir de sa torpeur et de faire la fête avec Marianne et moi.

20 h 46

Jeanne (en ligne): Je ne comprends pas. Je pensais que Marianne t'énervait et que tu appréhendais son retour.

20 h 47

Maude (en ligne): Je sais, mais en lui parlant aujourd'hui, j'ai réalisé qu'on avait plein de choses en commun et qu'on pouvait vraiment avoir du *fun* ensemble. Et j'avoue que je trouve ça cool de pouvoir parler de mes histoires de gars avec quelqu'un qui a autant d'expérience de moi dans le domaine.

20 h 48

Jeanne (en ligne): Merci, Maude. Ça fait chaud au cœur d'entendre ça. À mardi.

Vendredi 2 août, 19 h 27

Cher journal,

Ma vie est un véritable tourbillon depuis que
Marianne est revenue en ville. Je sais que
j'appréhendais un peu son arrivée, car elle déplace
beaucoup d'air, mais ça clique vraiment plus que
je ne croyais entre nous. Je réalise que j'ai plus de
choses en commun avec elle qu'avec les autres
filles.

Mardi, elle et son frère Adam (qui est devenu très
cute) avaient organisé une petite fête chez eux
pour célébrer leur retour en ville. Ça m'a fait tout
un choc de la revoir. Elle a beaucoup embelli avec
les années, mais comme son style est différent du
mien, je ne crois pas qu'elle me fasse de l'ombre.

J'étais aussi très nerveuse de revoir Katherine, à
qui je n'avais pratiquement pas parlé depuis mon
départ au camp. Quand elle est venue me saluer,
j'ai senti qu'elle était stressée, elle aussi. Les choses

se sont empirées quand José s'est pointé quelques minutes plus tard. Je crois qu'elle ne s'attendait pas du tout à le voir chez Marianne, puisqu'elle ne savait pas que nous avions repris contact et qu'il me pourchassait depuis des jours.

Dès qu'elle l'a aperçu, Kath est devenue blême et elle m'a regardée d'un air étrange. J'aime bien la voir dans cet état. Même si nous nous étions << réconciliées >>, une partie de moi veut encore la voir souffrir. Évidemment, Jeanne s'est empressée de se porter à son secours. Ça m'énerve tellement quand elle se prend pour Mère Teresa.

Sophie et Lydia ont quant à elles passé l'après-midi dans un coin de la cour à observer les amis d'Adam, comme s'ils étaient des extraterrestres. Je sais qu'elles n'ont jamais été particulièrement déniaisées avec les gars, mais on dirait que les choses se sont détériorées pendant mon absence. Elles sont encore plus pognées qu'avant! J'avoue que j'avais un peu honte d'elles. Elles avaient l'air vraiment immatures à chuchoter dans un coin.

J'étais justement en train de les observer d'un air découragé quand Marianne est arrivée à côté de moi.

Marianne : Qu'est-ce qui se passe avec elles ?

Moi : Elles ne savent pas comment se comporter avec les gars. C'est décourageant.

Marianne : On a du pain sur la planche, ma chérie !

Moi : Qu'est-ce que tu veux dire ?

Marianne : Si elles veulent se tenir avec nous, il va falloir qu'elles se dépognent, un peu.

Moi : Je sais ! C'est ce que je n'arrête pas de dire à Jeanne et Katherine, mais elles ne comprennent pas ce que je veux dire !

Marianne : Pfff. C'est parce qu'elles ne voient pas les choses de la même façon que nous.

Moi (en souriant) : Ça fait tellement du bien de retrouver quelqu'un qui pense comme moi !

Marianne (en me prenant par le cou) : Je sais ! J'ai l'impression qu'on est pareilles, toi et moi. Deux sœurs siamoises !

Moi : L'école va tellement être plus cool maintenant que tu es là !

Marianne : *Oh, yeah!* Les deux *queens* ne passeront pas inaperçues !

J'ai souri et j'ai observé José du coin de l'œil. Il était assis en retrait et me regardait avec un air piteux.

Marianne (en suivant mon regard) : Tu sais ce qui le rendrait encore plus fou ?
Moi : Quoi ?
Marianne (en m'envoyant un regard machiavélique) :
Suis-moi !

Nous sommes allées rejoindre Adam et ses amis et j'ai fait exprès pour rire très fort de leurs blagues et pour poser ma main sur leurs bras dès que j'en avais la chance. La stratégie de Marianne fonctionnait, car je voyais que José était de plus en plus misérable.

Il s'est d'ailleurs approché de moi quelques instants plus tard.

Lui : Je peux te parler deux minutes ?
Moi (en l'ignorant un peu) : Je suis occupée.

Lui : OK. Mais je dois y aller, et j'aurais aimé te dire deux mots avant de partir.

Moi (en bâillant) : Désolée, mais c'est impossible. La prochaine fois, OK ?

Il est parti la tête basse. Marianne m'a aussitôt félicitée.

Elle : Wow ! Du grand art !

Les filles sont parties vers l'heure du souper. Quant à moi, je suis restée dormir chez Marianne et nous en avons profité pour nous faire un résumé bien en règle de la dernière année.

Hier soir, je l'ai invitée à venir chez ma mère. Nous avons partagé une pizza, puis nous nous sommes enfermées dans ma chambre pour espionner la page des gens de l'école sur Facebook.

Moi (en cliquant sur la photo de profil d'Annie-Claude) : Celle-là, on ne l'aime pas. Elle se pense

vraiment bonne avec ses articles bidon du journal étudiant.
Marianne : Je note. Annie-Claude est sur ma liste noire. Qui d'autre ?

J'étais à la recherche du profil d'Éric quand Marianne m'a interrompue.

Marianne : C'est quoi, ça ?

J'ai tourné la tête et j'ai vu qu'elle tenait mon journal intime dans ses mains.

Moi (en lui arrachant des mains) : C'est... personnel.
Marianne (en souriant) : C'est quoi, l'affaire ? Tu écris tes secrets là-dedans ?
Moi (en rougissant) : Non ! En fait, un peu, mais c'est juste parce j'ai lu quelque part que certains chroniqueurs de mode avaient commencé en rédigeant un journal intime.
Marianne (en repoussant ses cheveux derrière son épaule) : Pfff. C'est n'importe quoi, Maude. Je ne vois pas en quoi ça va t'aider à percer dans le domaine.

Moi : Ça m'aide à pratiquer mon écriture...

Marianne : Ouais, mais c'est bébé, comme technique. Pourquoi tu n'écris pas plutôt de vrais articles de mode ? Tu peux découper les styles qui te plaisent le plus et les commenter. Tu lis assez de magazines pour savoir comment en rédiger !

Moi : Tu penses ? Et je ferais quoi avec ça ?

Marianne : Tu les garderais et tu te monterais un portfolio. C'est pas mal plus professionnel qu'un journal intime dans un petit cahier rouge.

Moi : T'as peut-être raison.

Marianne : C'est clair que j'ai raison ! Et de toute façon, tu n'as plus besoin d'un journal pour te confier. Je suis là, maintenant !

J'ai souri et j'ai rangé mon journal. J'avoue que ses conseils m'ont fait réfléchir. C'est vrai que si je rédigeais de vrais articles de mode et que je faisais des montages et des collages inspirés des magazines, ce serait pas mal plus productif pour ma carrière que de décrire mes journées dans un journal intime.

Bon, je te laisse. Ma mère m'attend pour souper, et comme je retourne chez mon père dimanche, je veux en profiter pour manger des cochonneries.

Maude

Lundi 5 août

Marianne (en ligne): T'es là? J'ai essayé de t'appeler, mais c'est occupé chez toi.

11 h 23

Maude (en ligne): Désolée. La blonde de mon père est au téléphone depuis vingt minutes.

11 h 24

Marianne (en ligne): As-tu envie d'aller à la piscine aujourd'hui? J'ai besoin d'entretenir mon bronzage si je ne veux pas ressembler à Sophie!

11 h 25

Maude (en ligne): Aucune chance que tu deviennes aussi blême qu'elle! On dirait un fantôme!

11 h 26

Marianne (en ligne): Je sais!

11 h 26

Maude (en ligne): Ça me tente vraiment de t'accompagner, mais j'avais promis à José de le voir aujourd'hui. Il m'a téléphoné vingt fois depuis le barbecue chez toi. Je pense qu'il a peur que je tombe sous le charme d'un des amis de ton frère!

Marianne (en ligne): Tant mieux! Ça va lui faire du bien de se morfondre un peu!

Maude (en ligne): Je sais, mais ça fait quatre fois que je remets ça, et une partie de moi a vraiment envie de le voir.

Marianne (en ligne): Alors pourquoi on ne l'invite pas à se joindre à nous avec sa gang? Comme ça, tu pourrais passer la journée à rire avec moi et à jouer à l'indépendante tout en le voyant souffrir!

Maude (en ligne): Là, tu parles! Je l'appelle tout de suite!

Marianne (en ligne): Cool! Veux-tu que j'invite les autres filles?

Maude (en ligne): Non. Si tu appelles Jeanne, elle va certainement inviter Katherine et ça ne me tente pas de la voir. Surtout si José est là.

Marianne (en ligne): Je te comprends. Lydia et Sophie non plus?

11 h 32

Maude (en ligne): Non. Elles vont me faire honte en se cachant dans un coin!

11 h 33

Marianne (en ligne): C'est clair! Ce sera juste nous deux, alors! En passant, peux-tu demander à José d'inviter Alex? Je le trouve vraiment *cute*.

11 h 34

Maude (en ligne): Tu te remets vite de ta peine d'amour avec Josh, à ce que je peux voir!

11 h 35

Marianne (en ligne): Yep. Loin des yeux, loin du cœur.

11 h 36

Maude (en ligne): Tout à fait d'accord avec toi! À plus! xox

Vendredi 9 août, 16 h 27

Cher journal,

Aujourd'hui, c'est mon anniversaire. J'ai maintenant quatorze ans, et je me suis officiellement remise en couple avec José. Ce matin, il s'est pointé chez mon père avec des fleurs et un ourson en peluche, et j'ai craqué. Il m'a promis que les choses seraient différentes, et je le crois. Je vois à quel point il fait des efforts depuis que je suis rentrée du camp. J'ai vraiment l'impression qu'il a changé et que ça ira beaucoup mieux entre nous.

L'approche de ma fête m'a aussi beaucoup fait réfléchir. Au départ, je croyais que le fait de tenir un journal m'aiderait pour ma carrière, mais je réalise maintenant que Marianne a raison et que c'est vraiment n'importe quoi. Je sais que tu m'as aidée à traverser des moments difficiles, mais ma vie va vraiment mieux à présent et je crois qu'il est temps que je passe à autre chose. Je suis plus âgée, plus mature, et c'est le moment de laisser les trucs de bébé derrière moi.

Cette fois-ci, je peux aussi te garantir que je ne recommencerai pas à t'écrire. Je ne retrouverai pas mon vieux cahier rouge comme par magie dans quatre ans pour me confier davantage. Je ne suis plus une enfant, et je sais que je m'arrangerai très bien toute seule.

Comme je ne tiens pas à ce que Marie-Gossante ou mes futurs demi-frères tombent sur toi et lisent toutes mes confidences, il faut que je te fasse disparaître pour de bon.

J'ai lu sur un site que le fait de brûler son journal intime permettait de purifier son âme et de repartir à zéro, et c'est exactement ce dont j'ai besoin.

Ce soir, avant que mes amis n'arrivent chez moi pour célébrer ma fête, j'ai donc prévu de t'incendier. Ce que je t'ai confié partira en fumée, et tout ce qui restera, c'est une Maude qui n'a pas froid aux yeux et qui n'a plus besoin de ressasser de vieilles histoires pour avancer.

Je te remercie de m'avoir écoutée quand j'en avais besoin, mais dorénavant, je n'aurai plus besoin de toi.

Je m'appelle Maude Ménard-Bérubé, j'ai quatorze ans et je suis convaincue que quoi qu'il arrive, je pourrai m'en sortir toute seule.

Adieu,

Maude